W9-BNT-080
마음속에 빈 새장을 가지고 있으면
언젠가는 그 안에 뭔가를 담게 된다
이병률

바람이 분다
당신이 좋다

esse
HELSINGIN SANOMAT
tulosta
sijoittajalle
Venäjällä ja Baltiassa
me
5 • 2003
Lihavuus-
tutkija
ihme-
dieeteistä:
HUMPUUKIA!
Herkuttele
parsalla
Rea Pe
LEHTI
BONUS
PAIKALLISLEHTI
SOMERO
JUHANNUS
KNALLI

ardendo e non bruciarsi
Tel: 055.49915
ardendo e non

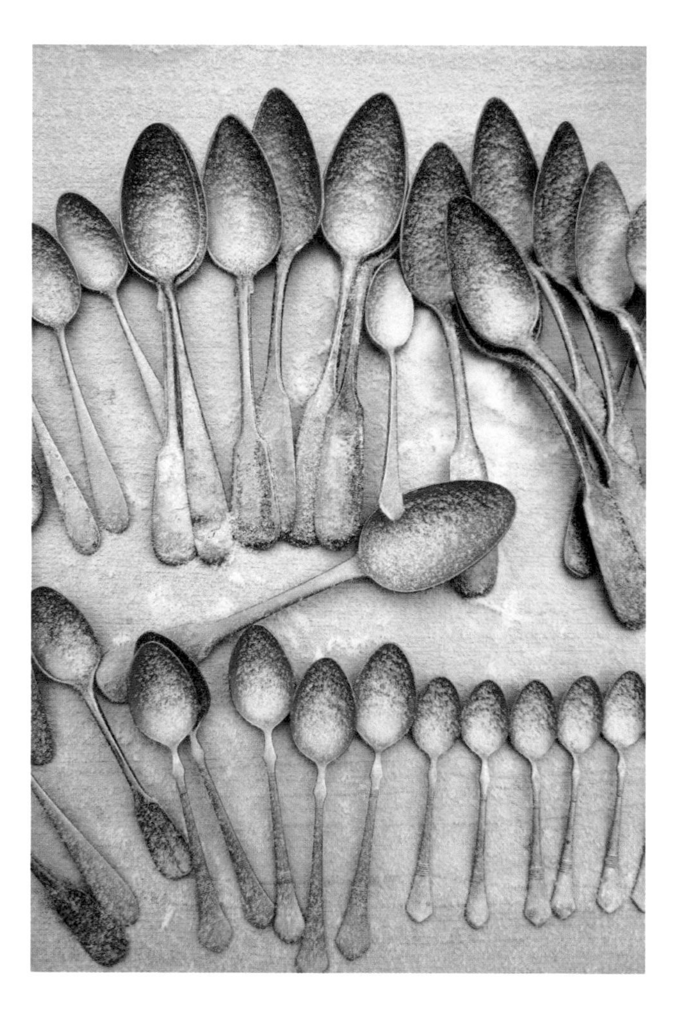

바람이 분다

당신이 좋다

1#

심장이 시켰다

우리는 그 무엇도 상상할 수 없다.
적어도 사람에 관해서는 더 그렇다. 한 사람을 두고 상상만으로 그 사람은 이럴 것이다, 저럴 것이다 아무리 예상을 해봐도 그 사람의 첫 장을 넘기지 않는다면 비밀의 문은 열리지 않는다.
몇 달째 남미를 여행하고 있다는 한 일본 친구를 만났다. 친구는 이번이 두 번째 남미 여행이었다. 지난 첫 번째는 세 달 동안 여행을 했지만 이번은 언제 돌아가게 될지 잘 모르겠다고 했다. 나는 한숨을 감추었다. 지난번은 그냥 여행이었다면 이번 여행은 세상을 제대로 보기 위해서라고 했다. 내 심장이 끄덕끄덕했다.
시간을 럭셔리하게 쓰는 자, 그런 사람이어야 한다. 나에게도 여행은 시간을 버리거나 투자하는 개념이 아니었다. 여행은 시간을 들이는 일이라고 생각하기 쉽지만 내게 있어 여행은 시간을 벌어오는 일이었다. 낯선 곳으로의 도착은 우리를 100년 전으로, 100년 후로 안내한다. 그러니까 나의 사치는 어렵사리 모은 돈으로 감히 시간을 사겠다는 모험인 것이다.
일상에서는 잡으려 해도 잡히지 않는 게 시간이지만 여행을 떠나서의 시간은 순순히 내 말을 따라준다. 사실 여행을 떠나 있을 때 우리가 더 많이 가지고 있는 것은 돈이 아니라 시간 쪽이질 않은가.

세 달 동안의 여행을 마치고 돌아가보니 그 친구의 많은 것이 달라져 있었다. 생각하는 법, 사람을 만나는 법, 돈 쓰는 법, 심지어 먹는 것까지 바뀌어 있었다. 모든 것이 달라졌다고 해도 될 정도로 그 친구의 세계에 해일이 몰려왔다.

여행의 많은 순간순간들을 극한 지경으로 몰다보면 그 안에서 선명한 쾌감을 만난다. 막막히 갈 곳도 없고 깊은 밤이 되어 눈 붙일 데가 마땅하지 않아도 그 상황 속에서 서성이다보면 이상할 정도로 강렬한 그 무엇에 대한 애착도 느끼게 된다. 적어도 거지가 아니라 여행자라고 스스로를 토닥이며, 이미 멀리 떠나 있다는 것만으로 충분히 세상 그 어떤 순간과도 비교할 수 없는 상태에 깊숙이 빠져 즐기고 있기 때문이다. 달라진 그 친구에게 사람들은 물었다. 무엇이 너를 그렇게 바꾸어놓았느냐고.

"내가 살고 있는 세상이 넓다고 생각했는데 내가 사는 곳은 단지 세상의 조각에 불과했어. 나하고 정말 다른 사람들을 만나면서 난 겨우 그 사실을 알았고 그건 충격이었지. 다른 기후 속에서 생각을 하고, 다른 음식을 먹고, 다른 꿈을 살고 있었지. 나의 정반대 쪽에 살고 있는 사람들은 적어도 그 시간에 깨어나서 치열하게 뭔가를 붙들고 있었거든. 난 가능한 한 세상의 모든 경우들을 만나볼 거야."

세상의 모든 경우들과 악수하기 위해선 언어가 문제였으므로 그 친구는 언제나 사람들 속으로 뚜벅뚜벅 걸어 들어가 그들과 섞이려고 애썼다. 여행이 끝나는 시점이 언제일진 몰라도 아마도 그때쯤 그의 얼굴은 더 검게 그을려 있을 거란 생각이 들었다. 내가 말했다.

"넌 뭐든 잘할 수 있을 거야. 그리고 모든 사람들이 널 좋아하게 될 거야. 왜냐하면 경험이 많다는 것만으로도 사람들은 충분히 네 옆에 있고 싶어할 테니까."

2#

매일매일 공차기

날아온 공이 팔뚝에 맞자, 땀에 젖어 있던 팔뚝에 축구공 도장이 찍힌다. 역시 축구의 왕국이라 그런지 어딜 가나 축구들을 하고 있다. 지갑 들고 다니듯 어디든 공 하나를 들고 다니는 것 같다. 땀을 식히려고 공터 나무 밑에 앉았는데 저기 건너편에서도 청년들이 열정적으로 축구를 하고 있었다. 그런데 가만 보니 경사가 너무 심해서 한쪽 편이 심하게 불리해 보인다. 저건 뭐지? 저래가지고 무슨 축구야?
한쪽 편은 속도를 줄일 수 없었고 또다른 편은 속도를 낼 수도 없는 데다 공조차도 사람 말을 듣지 않았다. 경사진 공터에서의 축구는 아무리 봐도 엉터리였다. 헌데, 시간이 지나자 이번에는 양편이 서로 방향을 바꿔 축구를 하기 시작했다. 조금 전까지만 해도 쩔쩔매던 상대가 이번에는 훨훨 날고 있었다.
전반과 후반, 경사진 길과 평평한 길.
우리 인생도 그 둘로 나뉘어져 있다.

NAPOLEON
GOETHE

3 #

작은 방을 올려다보았다

한때는 소호soho, new york였다. 사무치게 살고 싶은 곳. 그곳에 가면 내가 살면서 앓던 모든 것이 나을 것 같았다. 내가 알고 지내고 속해 있던 고만고만한 세계가 흠씬 두들겨 맞는 느낌이랄까. 오래전 한때의 소호는 그런 설렘과 긴장이 동시에 진행되고 있는 동네였다.

그때 당신과 나는 소호에 있었다. 당신과 처음으로 향한 먼 곳이었다. 어떤 도망이었다.

그리고 지금 나는 혼자 소호에 있다. 그때 당신과 내가 머물던 호텔의 건너편이다. 새벽녘 저 창문을 열고 창밖으로 머리를 내고 담배를 피우던 기억. 담배를 피우는데 어디선가 커피향이 몰려와서 주방에 전화를 걸어 아침을 시켜 먹던 기억. 그때는 바깥으로 이 거리가 있는 줄 몰랐다. 그때는 그 작은 방 안에 당신과 나의 모든 것이 엉켜 있었다.

당신이 나에게 신발을 사주었었다.

당신 혼자 며칠 더 머물러야 했다. 내가 며칠 먼저 돌아와야 했기 때문이었다. 당신이 나에게, 신던 신발을 버리고 갈 거냐고 물었다. 아닌 게 아니라 너무 오래 신어서 버려야 마땅한 신발이었다. 아주 어려웠던 때 사 신은 신발이라 버리기 뭐했지만 버리겠다고 했다. 뭐든 다 끌어안고 살지 말고 조금씩 버리고 살라는 당신의 말을 듣고 싶어서였겠다. 아마도.

가방을 싸면서 낡은 신발을 휴지통에 버리려 하는데 당신이 말했다.

"거기 한쪽에 두고 가. 그냥 내가 바라보게……."

어쩌면 이토록 오랜 시간이 지난 후에 그 말이 생각나는 걸까.
그 말로 정신이 하나도 없는 걸까.
단지 우리가 며칠 머물던 호텔의 건너편 쪽에 앉아 있을 뿐인데.

Tetley

4#

언젠가 처음엔

천체망원경을 갖고 싶었다. 밤하늘의 무늬를 즐긴다는 것은 얼마나 비밀스러운 일이며 할 수 있는 일 가운데 얼마나 이쁘고도 큰 사치인가. 그렇게나마 먼 우주에 한발이라도 들여놓고 싶은 충동은 또 얼마나 갸륵한 일인가. 뭔가를 보고 싶어서라기보다는 그저 하염없는 아름다움 속으로 빠져들고 싶었다. 중학 시설 별 관측 동아리에 몸을 담은 적이 있었는데 나중 생각해보면 그때 거기서 만난 별들을 통해 더 가까이, 좀 더 가까이 보지 않으면 아무것도 보지 않는 것과 같다는 진리를 어렴풋이 배우게 된 것 같다. 그러나 밤을 지새우는 일은 나하고는 맞지 않는다는 걸 알았다.
'사람 마음을 훔쳐보는 재주'를 갖고 싶었다. 그 사람이 무슨 생각을 하고 있으며 더군다나 나와 관련된 그 무엇에 대해서, 그의 속마음을 훤히 들여다볼 수 있는 초능력을 갖고 싶었다. 초능력이 아니더라도 기계 하나쯤을 발명해 누군가의 신체에다 플러그 같은 걸 꽂고는 책장처럼 넘기면서 그의 마음을 훤히 읽을 수 있었음 했다. 아마도 사람을 좋아해서였으리라. 사람에 관해서가 아니라면 왠지 아무 일도 일어날 것 같지 않았던 열여덟 살의 막막함 때문이기도 했으리라.

유난한 봄날이었다. 음악 시간. 창밖으로는 야채를 파는 아저씨의 확성기 소리가 들려왔고 음악실에 모인 우리들은 마치 그 소리와 겨루듯 어떤 독일 가곡을 따라 부르고 있었다. 확실히 살짝 맛이 간, 이상한 봄날이었다. 곡이 끝나면서 피아노 반주를 마친 음악 선생님이 맨 뒤에 앉은 나에게 일어나보라고 했다. 자신의 피아노 반주에 맞춰 혼자 그 가곡을 불러보라고 했다. 남 앞에서 고개를 잘 들지 못하는 나는, 더군다나 봄날이면 이상한 울렁증으로 힘들어하는 나는 뛰쳐나가지 못하고 꼼짝없이 그 자리에 서서 그 노랠 불렀다. 학교 합창단에 들어오라는 불덩이가 발앞에 떨어졌다. 대답을 하지 않자 교무실로 불려 갔고 '싫다'는 말은커녕 그 어떤 말도 하지 못하고 합창단원이 되었다.
나를 사로잡는 일이 생긴 것이다. 나는 무인도에서 무엇보다도 몰두할 만한 것을 찾은 셈이었다. 그러는 사이, 내 울렁증도, 세상의 기준에 답을 할 수 없는 답답함도 말끔하게 씻기는 기분이 들었다.
음악이란 건 확실히 그랬다. 어떤 시간이든 인내할 수 있었다. 각각 네 파트에서 하나로 뿜는 음들을, 소리들을 비 오는 날이면 더 멀리 울려 퍼지게 할 수 있다는 것, 음의 높고 낮음으로 길을 만들어갈 수 있다는 것, 학교 수업을 빼먹고 참가한 합창대회에서 작은 트로피를 데려올 수 있다는 것. 나는 껍질 밖으로 기어 나오고 있었다. 자주 머리와 가슴이 홧홧하기도 했으나 새로운 한쪽으로 물든다는 것은 확실히 사람을 아프게 하는 구석이 있었기에 견딜 수 있었다. 나는 공부의 정반대 쪽으로, 점점 더 음악 속으로 몰입해 들어갔다. 이 모든 말썽들은 딱딱하고 차가운 세상의 한쪽 면을 분명히 용접하고 있었다.

음악실 열쇠를 맡는 아이가 되었다. 아침 일찍 음악실 문을 열고 저녁이면 음악실 문을 닫는 배역이었다. 이른 아침 음악실 문을 열고 창가에 앉아 빠른 속도로 변하는 잎들의 덩치를 지켜보기도 하고 건반 위에 한 손을 올려놓고 내가 원하는 세계를 낙서하기도 하였다. 음악실 한쪽 방에는 싸구려 교재용 악기가 놓여 있기도 했는데 아무도 시키지 않았으나 그 방으로 들어가 악기들을 하나씩 닦기도 했다. 아무도 시키지도 않는 일을 한다는 게 제법 나다운 일이란 걸 그때 알았다. 행복은 문지르고 문지르면 광채가 났다.
"넌 음대를 가도록 해라."
음악 선생님의 말에 역시도 난 아무 대꾸도 하지 못하는 아이였다. 그 말은 무엇보다도 무서웠다. 아직 아무것도 결정할 수 없는 나이에 무엇을 하게 되리란 예측은 무서운 것이었다. 그가 음악실을 나가고 나는 멍하니 서서 음악실 한쪽 방을 쳐다보고 있었다. 나는 이상한 이끌림으로 음악실 한쪽 방문을 열었다. 나는 뭔가를 찾을 것이 있는 아이처럼 온 방을 다 뒤지기 시작했다.

구석에 세워진 낡은 합판 같은 교재들을 치우자 검은색 등산 배낭 하나가 보였다. 어느 학교에나 있을 법한 귀신 이야기가 떠올라 머리카락이 곤두섰다. 워낙 오래된 먼지는 가방을 끌어내도 풀썩거리지 않았다. 가방이 뭔가를 담고 있다면, 그것도 낯선 가방이라면 나는 그 가방을 열어야 한다. 어쩔 줄 모르겠는 마음으로 가방을 열었더니 수건과 추리닝과 랜턴 같은 것들이 쏟아져 나왔다. 그리고 배낭 맨 밑에 인조가죽으로 감싸인 딱딱한 뭔가가 만져졌다. 카메라였다. 나는 그때까지만 해도 단 한 번도 내 손으로 카메라를 만져본 적이 없었다.
그 오래된 카메라를 만지고 있자니 한참을 달리고 난 사람처럼 심장이 뛰기 시작했나. 카메라를 가져갈 것인가, 어쩔 것인가 하는 흥분으로 온몸의 솜털들이 일어섰다.
카메라를 가져가기로 했다. 필름을 사서 며칠 동안 학교와 우리 집 사잇길 풍경들을 찍었다. 사람이 지나가지 않는 골목길과 전봇대와 길가에 아무렇게나 붙여놓은 포스터들을 찍었다. 셔터 소리를 들을 때마다 뭔가 알 수 없는 감정으로 두근거렸다. 다 찍은 필름 한 통을 사진관에 맡긴 뒤에 다시 카메라를 그 배낭 안에 넣었다.
다음 날, 사진관 아저씨는 아무것도 찍히지 않은 필름을 현상해놓고 그걸 버릴까 어쩔까 하다가 그냥 두었다며 나에게 건넸다. 아저씨는 나의 허여멀건한 표정 때문이었는지 돈을 들고 멍청히 서 있는 나에게 한마디만 했다.
"그냥 가라."
고장 난 카메라구나 생각했다. 더 이상 카메라를 가질 수 없다고 생각하니 바람 속에 혼자 떨어져나간 기분이 들었다. 누군가 버리다시피 한 배낭 속의 카메라를 내 것으로 만들기엔 너무 어렸고 너무 여렸고 그래서 바닥이었다. 나중에 카메라에 대해 조금 알고 나서야 작동이 안 되는 고장 난 카메라였던 게 아니라 한 번도 카메라에 필름을 넣어보지 않은 미숙함 때문이었음을 알게 되었다.
몇 차례의 합창대회가 연이어 있었고 나는 여전히 교과서 대신 악보를 보는 아이였지만 내 그림들은 찬란한 햇빛을 받아 그런대로 그럴싸해지고 있었다. 얼른 스물두 살이 되고 싶었다.
창문을 열면 코끝을 간질이는 바람, 동네 사람들이 내는 소음, 금 간 창문 아래로 보이는 낮은 학교 담장, 자취생들이 널어놓은 것 같은 흰 빨래 위로 내려앉던 햇살들, 그리고 소년들의 합창 — 나는 이 장면을 누구에게도 양보하지 않으리라. 생각하기만 하여도 저절로 눈이 감겨지는 이 장면들을 나는 어쩌면 끝까지 가지고 가리라. 그렇게 나는 열일곱과 열여덟, 필름 같은 소년의 껍질을 벗고 있었다.
그 후로 나는 세상의 아름다움을 보지 못하는 게 가장 두려울 것 같았고, 그것을 어떻게 해보려고 사진을 찍기 시작했다. 실명하는 것, 나는 여전히 그것이 세상에서 제일 무섭다.

Venha

5#

그날의 쓸쓸함

청춘은 한 뼘 차이인지도 모른다.

모두 그 한 뼘 차이 때문인지도 모른다.

그 사람과 내가 맞지 않았던 것도,

그 사람과 내가 스치지 못했던 것도……

청춘의 모두는 한 뼘 때문이고 겨우, 그 한 뼘 차이로 인해 결과는 좋지 않기 쉽다.

청춘은 다른 것으로는 안 되는 것이다. 다른 것으로는 대신할 수 없는 것이며 그렇다고 사랑으로도 바꿔놓을 수 없는 것이다.

벤치에 앉아 아침식사를 하는 연인. 나는 그들 뒤에 앉아 있다.

이곳으로 여행을 온 연인 같았다. 커피와 빵 따위로 간단하게 식사를 마친 그들이 자리에서 일어났다. 그들이 일어나 곧 사라지면 그들이 가리고 있던 몽마르트르 동네가 조금 더 잘 보일 것이다. 하지만 그들은 잠시 서서 풍경을 더 가리는 듯하더니 이내 여자가 남자의 허리를 감고 키스를 한다. 헌데 남자가 별 반응이 없다. 반응이 없다는 것은 키스에 응하지 않은 채 굳어 있었다는 말이다. 대부분의 연인이라면 이런 모습들이 아닌데, 그래서 나는 놀란다. 여자는 몇 번 애를 쓰는 듯하지만 남자는 뒷모습만 봐도 이상할 정도로 냉담하다. 무슨 일일까. 여자가 남자의 옆모습을 바라본다. 내가 보기에도 남자의 표정엔 많은 부분들이 제거되어 있다. 비극적이다.
사람이 사람에게 '나를 사랑하느냐'고 묻는 건 사랑이 어디론가 숨어버려서 보이지 않기 때문이 아니라 단지 그걸 만지고 싶어서일 텐데. 그걸 붙들고 놓지 않으려는 게 아니라, 그냥 만지고 싶은 걸 텐데. 갖자는 것도, 삼켜버리는 것도 아닌, 그냥 만지고 싶은 것.
남자가 등을 보이며 몇 발짝 움직인다. 여자는 더 비극적이다. 어젯밤부터 남자는 혼자 있고 싶었던 걸까. 키스로 빵맛이 지워지면 안 되겠다는 것일까. 남자는 감정을 모두 걷어치운 사람처럼 저만치 걷기 시작했고, 여자는 또 그렇게 비극적으로 남자를 따른다. 오전 아홉시 사십분. 왜 이런 일이 생긴 걸까. 그 벤치에 앉게 되는 모든 연인들에게 그런 사고가 덮치는 건지도, 마치 몽마르트르 귀신의 장난처럼 그렇게. 단절이 찾아오고, 설령 마음을 거두어야겠다고, 헤어지기로 했다고 심장이 시켰을지라도 한쪽에서는 그 얼마나 갑자기 난데없을까.
날씨라도 여자의 편을 들어주려는 듯 조금씩 비가 내리기 시작한다. 우산을 가지고 있는 것 같지도 않던데, 이제는 빗속에서 조금 가까이 있을까. 여자는 손을 잡자고 할런가.
아까까지 본 풍경은 굉장히 중요한 인간의 장면이다. 버린다고 해서 버려지지 않는, 잘 말린다고 해서 마르지도 않는 인간의 인간적인 단면인 것이다. 그 단면에 얼굴을 들이밀고 도대체 왜 그러느냐고 묻지 말아라. 그 단면은 감정의 단면이 아니라 우주의 단면이라 어떤 대답도 할 수 없는 것이다. 그 단면은 비상한 세포덩어리이기도 하여서 인간의 범주 바깥에 있다.
사랑은 사람이 하는 일 같지만 세포가 하는 일이다. 누군가를 좋아하게 되는 것도 그 사람이 내뿜는 향기와 공기, 그리고 기운들에 불쑥불쑥 반응하는 것이지 않던가. 사랑은 그래서 일방적인 감정으로만 구성되어 있지 않은가.
사랑의 그림을 보는 건 공짜지만, 사랑이라는 그림을 가지는 건 그렇지 않다. 사랑을 받았다면 모든 걸 비워야 할 때가 온다. 사랑을 할 때도 마찬가지.
그래서 우리는, 그들은 더 이상 계속할 수 없는 것일까. 그래서 그 가슴 뛰게 잎을 틔우던 싹들은 가벼운 바람에도 시들고 마는 걸까.
지금 사랑하고 있는 사람은 넘쳐 보이지만, 지금 당장 사랑하지 않는 사람은 금이 가 보인다. 넘치는 것은 사랑 때문이며 금이 간 것도 사랑 때문일 텐데 그 차이는 적도와 북극만큼의 거리다.
나는 노트에다 그날의 쓸쓸한 장면에 대해 이렇게 적었다.

한 아이가 서서 비눗방울을 날립니다. 그런데 자꾸 비눗방울이 아이의 뒤편으로 날립니다. 아이가 원하는 방향의 반대편으로 말입니다. 이상하네요. 몸을 돌리면 즐겁게 비눗방울 날리는 걸 볼 수 있을 텐데 말입니다. 하지만 금세 알게 되었습니다. 한 아이는 비눗방울을 그 앞에 앉아 있는 아이 쪽으로 날리고 싶었던 겁니다. 한 발짝도 움직일 수 없는 그 아이에게로 말입니다. 이런.
그 아이를 기쁘게 해주려고, 그 아이에게 영롱한 비눗방울의 광채를 보내려고 비눗방울을 날리지만 자꾸만 반대로 날아가버립니다. 바람 때문입니다. 자신이 원하는 방향이 아닌 등 뒤로 비눗방울을 날려보내는 아이와, 자기 쪽으로 날아오르는 비눗방울을 보고 싶어하는 아이. 그 앞에서 어쩔 수 없이 생각합니다.
우리 사랑이 이랬었구나…… 하구요.

6#

내가 그린 그림

교토에 아는 술집 하나가 있습니다.
간판에는 두 글자. 기쁠 희喜, 행복 행幸. 그것을 일본말로는 '기코우'라고 읽는다네요. 할머니와 할아버지가 주인인 그 술집에 앉아 '긴교(금붕어)'라는 이름의 술 한 잔을 마십니다. 금붕어라는 이름이 왜 붙여졌는지는 술이 나오고야 알게 되었네요. 술잔에 술을 채우고 작고 붉은 마른 고추 하나와 허브 한 장을 띄우니 마치 작은 어항 같습니다.
술을 시켰으니 안주도 시킵시다. 할아버지가 새벽 네시에 가모가와 강에 나가 직접 잡아왔다는 작은 민물고기 튀김이 어떨지요. 망설임 없이 한 접시를 주문합니다. 작은 물고기를 튀겨 접시 위에 올려놓았는데 금방이라도 살아서 앞으로 헤엄쳐 나갈 듯이 한 마리씩 한 마리씩 방향을 맞춰 세워놓았습니다. 그 물고기들의 앙증맞은 간격만으로도 이 여행자의 마음이 환해집니다.
이 집의 감동적인 주인공은 정성을 들여 차려주는 술과 안주만이 아닙니다. 할아버지 할머니의 완벽한 구도입니다. 세상 그 무엇에도 꿈쩍하지 않을 것 같은 두 사람의 완벽하고도 견고한 화음이랄까요. 할아버지가 사시미를 준비할 때, 할아버지의 손놀림 하나하나를 조심스럽게 다소 걱정하는 듯이 또 행복하게 바라보는 할머니의 다소곳하면서도 정중한 모습.

아, 어떻게 저렇게 고요하고도 벅차게 한 사람을 바라볼 수 있을까요.
이 집에서 나는 평생 가슴에 지닐 그림 한 장을 완성하고 말았습니다. 아주 귀한 그림을 얻고 말았습니다.
할아버지는 할머니의 나이가 여든둘인지, 여든하나인지 잘 모른다고 말하며 웃습니다. 할머니의 나이를 물어서 잘 모른다고 대답했으니 할아버지 당신의 나이를 물었더라도 잘 모른다고 대답했겠지요. 살다보면 그렇게 됩니다. 아무것도 셈하지 않고, 무엇도 바라지 않으며, 있는 그대로를 기쁘게 받아들이는 일. 살다보면 사랑도 그렇게 완성될 겁니다.
우리가 사랑을 하면서 이토록 힘이 드는 건, 행복을 바라기보다 맨 앞에다 자꾸 사랑을 앞세우기 때문입니다. 기코우에 한번 가보세요. 거참 사랑, 별거 아니데요, 라는 생각으로, 사랑 그거 참 우아하고도 먼 길이데요, 라는 생각으로 술을 조금은 많이 마시게 될지도 모르겠습니다.

7#

뜨겁고 매운 한 그릇

조금은 다른 짐을 싸야 했다. 삼백만 년 전부터 가고 싶어했던 곳으로의 여행이다. 이상하리만치 간절했고 그곳을 생각하기만 해도 목이 메어졌다. 가고 싶었던 그만큼을 상상하는 것만으로도 마음은 차올랐으나 그래도 그 땅을 밟기 전에는 충분하지 않을 것 같았다.
세 달을 예정한 인도 여행이었으므로 짐은 적지 않았다. 비상약을 순비했고 우비와 비타민, 그리고 가능한 한 실컷 찍을 수 있을 양의 카메라 필름을 준비해야 했다. 준비는 그것만으로 충분하지 않았다. 비상식량을 걱정해야 했다. 그곳은 내가 상상해왔으나 동시에 상상할 수 없는 곳이기도 했으므로 과감히 다섯 개의 라면을 여행가방에 담았다.
한 달 정도는 라면 먹을 생각이 들지 않았다. 쉽지는 않았지만 가능하면 그들이 먹고 마시는 것들을 먹고 마시려 애를 썼다.
결국 더 이상은 버틸 수 없는 상황이 되었다. '결국'이라는 말은 가방 안에 라면이 들어 있다는 시나리오 때문에 가능한 말이겠으나, '결국'엔 그동안 잠잠했던 몸이 성질을 부리더니 칼칼하면서도 시원한 것을 넣어달라 간절히 애원하고 있었다. 라면 다섯 봉지, 그걸 어떻게 먹어야 할지가 고민이었다. 부수어 먹을까도 생각했지만 평소에도 그리하는 것은 라면에 대한 예의가 아니라 생각하는 편이었다.
그때 떠오른 것이 근처 움막집에서 어렵게 살고 있는 불가촉천민(접촉할 수 없는 천민이란 의미로, 인도의 카스트제도에서 계급에 속하지 않는 가장 낮은 신분의 사람들)이었다. 몇 번 그 집 아이들과 놀아주기도 하고 사진을 찍은 적도 있었는데 그들이 움막 앞에서 불을 피워 밥을 지어 먹던 것을 생각해낸 것이다.

나는 그들이 나를 도와줄 것이라는 확신을 가지고 시장에서 싸구려 냄비를 산 다음 라면 하나를 들고 그들을 찾았다. 나는 그들이 쓰는 허름한 가스레인지를 가리키며 성냥으로 불을 붙여달라고 했다. 냄비에 물을 붓고 라면을 끓이는 동안 움막집의 남편과 아내, 그리고 네 명의 어린아이가 그 과정을 지켜보기 시작했다. 많이 아는 사실이지만 인도사람의 눈은 정말 엄청나다. 눈을 굴릴 때나 어떤 표정을 지을 때, 울 때나 자신의 상태를 얼굴에 나타내야 할 때, 그들은 감정의 모든 것을 눈동자에 담는다. 유난히 둥글고 크고 짙은 눈이어서 그들의 표정은 더 강렬하며 리얼하다. 아마 다른 민족에 비해 몇 배는 더 검고 몇 배는 더 흰 눈동자의 구성 때문이리라. 나는 라면이 끓는 사이, 그들의 눈을 보지 않으려 안간힘을 썼다.

나눠 먹어야 마땅했지만 그 소중한 그것을 나눠 먹는 일은 가당치 않은 일이었으므로 나는 그저 약간의 사례를 하고는 다 끓은 라면을 들고 찬 바람까지 일으키며 그곳을 빠져나왔다. 내가 떠나자 아이들이 라면 봉지와 스프 봉지를 차지해 핥으면서 다투기 시작했다.

이번엔 라면 두 봉지가 필요했다. 어쩌다가 그 지역을 여행하던 한국인을 만났는데 이런저런 얘기를 나누다가 내가 라면 끓여 먹은 이야기를 하자 빛을 내기 시작하는 그의 눈빛을 뿌리칠 수 없었다. 네 달인지 다섯 달인지 되는 인도 여행이었으니 라면 같은 음식이 그리운 게 당연했다. 게다가 그는 영양실조에 걸린 사람처럼 야위었고 지쳐 보였다. 라면 두 개를 이전과 같은 방식으로 끓여 그와 나눠 먹었다.

이제 두 개의 라면이 남았다. 그로부터 며칠 후, 그곳을 떠나야겠다는 마음을 먹고 한 개의 라면을 끓이기 위해 움막집을 찾았다. 다른 곳으로 이동을 한다면 여기에서처럼 라면을 끓여 먹는 일이 쉽지 않을 것도 같았다. 움막집의 모든 식구들이 불가에 동그랗게 모여 냄비에 스프를 털어 넣는 성스러운 의식을 지켜보고 있었다. 아이들은 냄비 안에서 끓고 있는, 이제는 한결 익숙해진 음식을 바라보며 입맛을 다셨다.

아내가 슬며시 나에게 뭐라 말을 걸어왔다. 처음엔 뭐라고 하는지를 몰랐으나 가만 그녀의 몸짓을 살피니 라면 한 개를 줄 수 있냐는 말이었다. 나에게 라면이 하나 남았다는 사실을 어찌 알았을까.

나는 얼른 '이것이 마지막'이라고 영어로 말했다. 하지만 내 말을 알아듣지 못하는 그들은 계속해서 하나만 먹게 해달라는 몸짓을 보였다. 사실, '이것이 마지막이라는 말'을 몸짓 언어로 하는 일은 쉽지 않았다. 아무리 손짓 발짓으로 애를 써가며 '없다'는 시늉을 해보여도, 그들에게 그 말은 '안 된다'는 말로 들릴 것 같았다. '없다'는 말이 아니라 '안 된다'는 말이라면 세상에 그보다 치사한 일은 없으리.

나는 라면이 끓는 사이, 라면이 부글부글 완성되는 그 사이, 전속력으로 달려가 마지막으로 남은 라면 한 개를 가지고 돌아와 건넸다. 속도를 내지 않았다면 지금 끓고 있는 라면을 그들이 처리해버릴지도 모르는 일이었다. 박수를 치는 아이도 있었다. 아이의 엄마는 두 손을 모아 여러 차례 인사를 했다.

내가 라면을 끓였던 방식으로 그들도 라면을 끓였으리라. 여섯 식구가 먹기엔 너무 양이 적은 라면 한 그릇을 나눠 먹다가 아빠와 엄마는 일찌감치 뒤로 물러앉기도 했을 것이다.

며칠 뒤, 그곳을 떠나야 할 시간이 왔다. 배낭을 메고 그들이 사는 움막 앞을 지나가고 있을 때 한 아이가 나를 향해 뭐라 소리치자 움막 안에서 식구 모두가 뛰쳐나와 손을 흔들었다.

내가 떠난 후, 그곳에 남은 한국인 여행자는 불이 필요할 때마다 움막을 찾아 신세를 졌다고 했다. 한때 나는 가끔 그가 자신의 여행이야기를 올려놓은 사이트를 읽는 재미에 빠져 지낸 적이 있었는데 거기에서 이런 글을 읽었다.

나는 비상식량으로 가져온 검은콩을 들고 병률 형이 두고 간 냄비에 콩을 볶아 먹으러 움막을 찾아간 적이 있었다. 콩을 볶아서 아이들과 나눠 먹은 뒤, 생콩 한 줌을 나눠준 적이 있었다. 며칠 뒤에 그곳 앞을 지나는데 세상에나, 형이 버리고 간 다섯 개의 라면 봉지에 각각 흙을 담아 식물을 기르고 있었다. 그 식물이란 녀석의 정체는 알고 보니 내가 나눠준 콩이었고……

내가 두고 온 냄비와 라면 봉지의 안부를 들을 수 있으니 거기까지는 반가웠다고 하자. 하지만 그가 건네준 생콩이며 콩 싹을 틔워 기른 이야기는 도무지 아름다워서 내 마음 한쪽 구석이 자꾸 간질간질한 것이다.

15 kilo

LAS
15 kilo

8 #

나를 덮어주는 사람

연락이 닿았다. 정말 안 되는 것은 안 되나보다 하고 포기하고도 있었다. 내 힘든 시절을 잠시 덮어준 사람, 그 사람을 찾아 안부를 묻는 일이 왜 그리도 어렵나 했더니 그 사이 남편과 사별을 하고 멀고 먼 나라의 자식들 곁으로 가 살고 있었다. 내가 그 나라엘 들를 수 있으니 다행이었다.

그녀를 만나기로 한 날, 낮에 교외로 나갔다가 넉넉한 시간에 돌아오려 했으나 열차 시간을 잘못 기억하는 바람에 약속 시간까지 도착하기가 영 빠듯할 것 같았다. 원래 계획으로는 숙소로 돌아와 최소한 머리라도 감고 나가려 했었다. 어언 십 년 만에 인사를 드리는 자리인데 모자를 쓴 채로 나갈 수도 없는 일이었다.

그럴 수는 없어 일단 숙소로 들어가 머리를 감았다. 머리를 감다가 목욕도 했다. 내친 김에 양말도 갈아신고 했더니 숙소에서 나서는 시간이 약속 시간이 되고 말았다.

그곳에 그녀가 나와 있었다. 흰 머리카락이 늘었다는 사실 말고는 그대로였다. 무엇보다도 그 인자한 웃음이 그랬다.

"죄송해요. 좀 씻고 나오느라 많이 늦었습니다."

나를 위해 빈 의자를 조금 뒤로 빼주며 그녀가 말했다.

"나이 많은 사람 만나러 나오는데 뭐하러 씻고 나와요?"

아, 맞아. 이런 분이었지.

자기는 없고 언제나 다른 사람만 생각하는 것 같은 사람.

늦었다는 게 문제가 아니라 자기를 위해 뭘 준비를 하느라 늦은 게 마음에 걸리는 사람.
그녀를 처음 만난 건 어느 사진가의 작업실에서였다. 그녀와 같이 두어 달 가량 암실 수업을 받은 적이 있었는데 그녀는 내가 필름을 아끼고 있다는 사실을 알고 늘 만날 때마다 슬쩍 필름 몇 통을 건네주곤 했었다.
"나보단 병률 씨가 더 필요한 것 같으니 이 필름 가져다 찍어요."
표준렌즈밖에 없는 나에게 렌즈 하나를 덜컥 건네더니 나중에는 아예 받지도 않았던 분. 또 언젠가는 무주에 좋은 숙소를 잡아놓고 식구들이 갈 수 없는 형편이었을 때 내가 제일 먼저 생각났다며 대신 다녀오라고 해준 분. 이토록 많이 받아서 영영 받기만 하면서 사는 사람으로 굳어져 버리게 될까 두렵고 어려웠던 사람.
그렇게나마 내 허술한 빈 곳을 가릴 수 있으니 나에게는 축제 같았던 사람.

십 년도 더 전의 일이다. 그분과 식사를 하러 어느 식당에 들어갔을 때의 일이다. 식당 입구에 신발장이 있었는데 딱 한 칸만 비어 있고 모든 칸에 신발이 들어 있었다. 나는 그분의 신발을 거기 올려두자고 했다. 그분은 한사코 내 신발을 넣어두라고 했다. 그분이 이겼고 나는 내 신발을 거기 올려두었다. 식사가 끝날 즈음, 소주 한 병을 더 시켰고 나는 화장실을 다녀오는 길에 생각난 듯이 그분 신발과 내 신발을 바꿔놓았다. 하지만 식당에서 계산을 하고 나오는데 내 신발이 보이질 않았다. 누군가 가져간 것이 틀림없었다. 주인이 거들었다. 요새 신발 도둑이 많다고 했다. 난감했지만 그분은 내 무안함을 누르려는 듯 성큼성큼 큰길로 나가더니 택시를 잡았다. 택시 문을 열고 먼저 타서는 나에게도 타라고 했다. 집 앞에 내려주겠다고 했다. 양말은 빨면 되지 않냐고 다시 한번 목소리를 드높이며 얼른 택시에 타라고 했다.

"맨발로 다녀서 동상 걸린 사람한테 신발 벗어줬다고 생각해요. 그것도 아주 새 신발을."

그 말에 순간 화가 누그러지는 것 같았다. 그녀가 또 한마디 했다.

"내 신발을 가져갔어야지. 내 신발은 시장밖에는 안 가는 신발인데……."

내 모든 궁함은 그녀 앞에서 그런 식으로 감춰질 수 있었다.

그 후로 그녀는 그 식당에 두어 번쯤 더 갔다고 했다. 혹시 신발이 돌아왔을지도 몰라서였다고 했다. 나이가 경험을 축적하는 것이듯 신발은 돌아와 있었다. 취한 손님이 신발을 잘못 신고 돌아간 것을 식당에 남겨진 신발 한 켤레가 증명하고 있었으므로 언젠가 신발이 돌아올 수도 있다고 믿었던 것.

먼 길에 있을 때면 아직도 가끔 그 말이 귓전에 맴돌 때가 있다.

"나이 많은 사람 만나러 나오는데 뭐하러 씻고 나와요?"

그리고 그 말은 나로 하여금 이렇게 중얼거리게 한다.

"아, 나를 덮어주는 사람. 나에게는 그런 사람이 한 사람쯤 있었구나."

9 #

사랑의 냄새

나는 양파 볶는 냄새에 약하다. 양파를 볶다가 운 적도 있으니 말 다했다. 물론 매워서는 아니다. 하지만 양파이야기부터 꺼낼 수는 없는 일. 양파는 아껴야 하니 이야기를 조금 미루도록 하자.

오지를 제외하곤 빵집이 없는 동네는 없었다. 빵을 좋아하지는 않지만 나는 유난히 빵집에 집착한다. 빵집이 있는 동네라면 무작정 안심이 되기 때문이다. 지내는 동안 빵 냄새를 맡을 수 있는 데다 아무것도 먹지 못하는 곳일 때 빵집이 있다는 건 얼마나 큰 위로인가. 흐린 날의 빵 굽는 향은 멀리 간다. 그 향을 맡은 공사장의 인부들도, 성당의 신부님도 하는 일 없이 기뻐지거나 괜히 빗방울이라도 후두둑 떨어지기를 기다린다.

빵이 너무 커서 가슴팍에 안고 먹어야 하는 그루지아의 화덕 빵이나, 빵 굽는 냄새가 맡아지면 킁킁대며 빵집을 찾아야 하는 시리아의 골목 빵집, 맛이 얼마나 좋으면 한입을 베어 물고 걷다가 다시 오던 길로 돌아가 먹을 수 없는 양의 크루아상을 사게 되는 파리의 빵가게. 세상의 빵 냄새에 홀려 동물이 되는 것이 나는 좋다. 사실 빵이야 여행지에서 이렇게도 먹고 저렇게도 먹는 거라서, 빵에 눈을 많이 얹어서 먹은 기억이나 말라비틀어진 빵을 석탄기차 난로에 구워서 먹은 기억까지 합하자면 빵에 대한 내 취향은 동물적이다. 그래서 그런지 비행기나 여행지의 숙소에서 작은 잼이나 버터가 나오면 하나씩 주머니에 넣어두는 끈적한 버릇까지 생겼다.

난로에 보리차가 끓고 있는 냄새나 나무 타는 냄새. 아이의 몸에 풍기는 이런저런 냄새나 갑작스런 방문을 의식해 오 분 동안 급히 치운 듯한 친구 집에서 나는 생활의 냄새. 게를 찌는 찜통 연기의 냄새나 어느 냉장고에 붙여놓은 오래된 글씨의 냄새. 여행에서 돌아왔을 때 집 안에 가득한 빈집의 냄새와 트렁크를 열었을 때 어렴풋이 풍기는 그곳의 마루 냄새. 아, 지금과는 다르게 화학적인 것에 얌전하게 반응하는 사람으로 태어났다면 나는 도대체 어떻게 살았을까.

나는 냄새라는 말이 좋다. 샴푸 냄새가 좋아요, 라고 했는데 그건 냄새가 아니라 향이라고 하는 거예요, 라고 나를 가르치듯 따지는 그런 유의 사람을 나는 정말 좋아하지 않는다.

이스탄불을 경유하는 비행기에서 내려 시내로 나가 단 세 시간을 걷는 동안, 시장을 가득 채웠던 터키 커피 향은 어땠나. 그때 산 두 봉지의 커피는 뜯지도 않은 채로 일주일의 여행 기간 동안 방 안을 채우고 넘쳤다. 새벽마다 그 냄새에 깜짝 놀라 잠에서 깰 정도였다. 누군가 방 안에 침입한 것 같아 번쩍 눈을 뜨면 살아 넘치는 가방 속의 커피 향이 범인이었다.

하지만 냄새 중의 냄새는 양파 볶는 냄새 아닐까. 냄새의 왕. 양파 볶는 냄새는 세상의 모든 냄새를 담고 있다. 어둠과 그늘, 절벽의 햇살, 꽃잎이 짓이기며 빨아대는 습기, 간절한 한 사람의 안부, 그 모든 것을 담았다.

허기에 지쳐 집에 돌아오면 뭘 먹을 것인지 정하지도 않았으면서 양파를 볶던 때가 있었다. 먼 곳에서 긴 시간을 처절하게 살 때였다. 양파를 볶다가 소시지를 넣어 뒤적거리거나, 양파를 볶다가 물을 붓고 스파게티 면을 끓이기도 했다. 양파를 볶다가 부자가 되어야겠단 생각도 했고 양파를 볶다가 불을 끄고 시를 읽은 적도 있다. 그러면 채우는 느낌과 바닥을 내는 느낌이 내 몸에 동시에 배어들었다. 공간을 가득 채운 양파의 그것에는 그리운 냄새가 있다. 절절한 곡예가 있다. 그래서 집에 양파 남은 게 있느냐 없느냐는 나에게 또 여행 갈 계획이 있느냐 없느냐와 통한다.

사랑을 잃고 양파를 볶다가 그렇게 짐을 싼 적이 있다.

10

허기를 달래기엔 편의점이 좋다.

시간이 주는, 묘한 느낌을 알기엔 쉬는 날이 좋다.

몰래, 사람들 사는 향내를 맡고 싶으면 시장이 좋다.

사랑하는 사람의 옆모습을 보기엔 극장이 좋다.

몇 발자국 뒤로 물러서기에는 파도가 좋다.

가장 살기 좋은 곳은 생각할 필요 없이 내가 태어난 곳이 좋다.

조금이라도 마음을 위로 받기엔 바람 부는 날이 좋다.

여행의 폭을 위해서라면
한 장보다는 각각 다르게 그려진 두 장의 지도를 갖는 게 좋다.

세상이 아름답다는 걸 알기 위해선, 높은 곳일수록 좋다.

세상 그 어떤 시간보다도, 지금 우리 앞에 있는 시간이 좋다.

희망이라는 요리를 완성하기 위해서는 두근거릴수록 좋다.

고꾸라지는 기분을 이기고 싶을 때는 폭죽이 좋다.

사랑하기에는 조금 가난한 것이 낫고
사랑하기에는 오늘이 다 가기 전이 좋다.

PERSIA WO

11 #

당신을 좋아한다는 말

11월과 12월 사이를 좋아합니다. 그건 당신을 좋아한다는 말입니다.

조금씩 눈비가 뿌리고 있으니 어쩌면 잠시 후에 눈송이로 바뀌어 이 저녁을 온통 하얗게 뒤덮을지도 모르니 이곳 강변의 여관에서 자고 가기로 합니다. 창문을 열어놓고 맥주를 한 병 마시는데 몸이 술을 마시지 말라고 하네요. 이야기할 사람이 없으면 술을 마시지 말라고 몸이 말을 걸어옵니다. 그럼요, 술은 정말정말 좋은 사람이랑 같이 하지 않으면 그냥 물이지요. 수돗물.

언제였던가요. 덕유산에서 삼 개월을 여행자로 지낸 적이 있는데 매일매일 폭설이었고 나 또한 매일매일 눈사람이었습니다. 그 시간, 나는 모든 것을 받아들일 준비를 하고 있었는지도 모르겠어요. 인생의 진하디진한 어떤 예감 같은 거요. 그 후로 나에게 생긴 병이 있다면 눈을 찾아 자주 길을 나선다는 것. 누군 병이라지만 그렇게 나쁘지만은 않은 병이겠죠. 매일매일 폭설을 기다리다 드디어 폭설을 만났습니다. 요즘 저의 근황을 이야기하자면 매일매일 폭설 중이라는 겁니다. 이리도 폭설 중인데 무엇이 저를 일으켜 세울 수 있을까요. 폭설이 두 눈으로 들이치는데 어떻게 한 발짝이라도 나아갈 수 있을까요. 놀랍네요, 이런 기적들이, 괜찮네요.

우리 천 살까지 만나 살까요. 그러면 어떨까요.

이러면 어떨까요. 모두를 던지는 거예요.
그 다음은 그 이후의 모두를 단단히 잠그는 거예요.

삿포로에 갈까요. 멍을 덮으러, 열을 덮으러 삿포로에 가서 쏟아지는 눈발을 보며 술을 마실까요. 술을 마시러 갈 땐 이 동네에서 저 동네로 스키를 타고 이동하는 거예요. 전나무에서 떨어지는 눈폭탄도 맞으면서요.
동물의 발자국을 따라 조금만 가다가 조금만 환해지는 거예요.
하루에 일 미터씩 눈이 내리고 천 일 동안 천 미터의 눈이 쌓여도 우리는 가만히 부둥켜안고 있을까요.
미끄러지는 거예요. 눈이 내리는 날에만 바깥으로 나가요. 하고 싶은 것들을 묶어두면 안 되겠죠. 서로가 서로에 대해 절망한 것을 사과할 일도 없으며, 세상 모두가 흰색이니 의심도 서로 없겠죠. 우리가 선명해지기 위해서라기보다 모호해지기 위해서라도 삿포로는 딱이네요.
당신의 많은 부분들. 한숨을 내쉬지 않고는 열거할 수 없는 당신의 소중한 부분들까지도. 당신은 단 하나인데 나는 여럿이어서, 당신은 죄가 없고 나는 죄가 여럿인 것까지도 눈 속에 단단히 파묻고 오겠습니다.

삿포로에 갈까요.
이 말은 당신을 좋아한다는 말입니다.

12 #

끌리는 것 말고
반대의 것을 보라는 말.

시를 버리고 갔다가
시처럼 돌아오라는 말.

선배의 그 말을 듣다가
눈이 또 벌게져서 혼났던 밤.

13 #

나는 너를 반만 신뢰하겠다.
네가 더 좋아지기를 바라는 마음에서다.

나는 너를 절반만 떼어내겠다.
네가 더 커지지 않기를 바라는 마음에서다.

14#

묻고 싶은 게 많아서

문득 행복하냐고 묻고 싶을 때가 있다.
할 말이 없어서가 아니라
내가 기울고 있어서가 아니라
넌 지금 어떤지 궁금할 때.

많이 사랑했느냐고 묻고 싶을 때가 있다.
그게 누구였는지 알고 싶어서가 아니라
그만큼을 살았는지,
어땠는지 궁금할 때.

아무도 사랑하지 않아서 터져버릴 것 같은 시간보다
누구를 사랑해서 터져버릴 것 같은 시간이
낫지 않느냐고 묻고 싶다.

불가능한 사랑이어서,
하면 안 되는 사랑일수록
그 사랑은 무서운 불꽃으로 연명하게 돼 있지 않은가.

누가 내 마음을 몰라주는 답답함 때문이 아니라

누가 내 마음을 알기 때문에

더 외롭고, 목이 마른 이유들을 아느냐고 묻고 싶다.

묻고 싶은 게 많아서 당신이겠다.

나를 지나간

내가 지나간 세상 모든 것들에게

'잘 지내냐'고 묻고 싶어서

당신을 만난 거겠다.

15 #

세상의 두 바보

새벽에 빗소리가 들려 창문을 열어놓고 잠을 잤다. 아침이 되자 다시 일어나 바닷가에 나갔다. 비가 와도 빗소리가 들리지 않는 바닷가 모래밭에서 안경을 수차례 닦았다. 이토록 모래에 스미듯 내리는 족족 가슴을 저미는데 무슨 소리가 들리겠는가.

리우데자네이루는 모두가 벗고 다닌다. 옷을 다 입은 채, 벗고 다니는 사람들을 자꾸 쳐다보게 되는 나 같은 사람만 솎아내면 리우데자네이루는 리우데자네이루가 된다.
리우데자네이루의 상징은 높은 산꼭대기에서 두 팔을 벌리고 있는 예수상도, 이파네마 해변과 코파카바나 해변도 아닌…… '쪼리'인 것 같다. 그걸 신고 다니지 않으면 일제히 모두의 시선을 받을 것처럼 누구나 그걸 신고 다닌다. 어쩌면 도시의 절반이 모래인 까닭일 것이고 어쩌면 그만큼 도시가 경쾌해서일 것이다.
너무 쳐다봐서였을까. 목 뒤에 문신을 한 여자를 보았다. 세상에나, 문신으로 사내의 이름을 새겨놓았다.
"남자친구 이름이네요."
나는 예감을 어쩌지 못하고 물었다. 그녀는 그걸 어떻게 아느냐 묻더니, 오래전 남자친구라고 했다. 이거 복잡하다.

왜 그랬어요? 하고 묻고 싶지만 그러지도 못하고 시선을 피하며 푹 고개까지 숙이는 나. 그런 나만 빼면 아무 걱정할 것도 없고 아무 마음 쓸 일도 없는 경쾌한 곳일 텐데 그래도 그녀가 쏟아낸 말은 나를 괴롭히고 마침내 그녀에게 맥주를 한 병 시켜줘도 되냐고 묻게 한다.

여자는 맥주 네 병을 시킨다.

"그 사람과 헤어지고 내가 할 수 있는 일이 이게 전부였어요."

"잊기 위해서 강해지고 싶었나봐요."

"아뇨. 유연해지고 싶었어요. 다시는 이 사람을 안 봐야겠다 싶은 마음이 들었다면 강한 걸로는 안 돼요. 이 사람이 아니어도 되겠다 싶은 유연함 때문이겠죠."

"거참, 그래도 그렇지. 사람을 평생 안 보겠다고 목 뒤에다 이름을……."

뒷목이라서 평생 볼 수 없겠다. 마주칠 일도 없겠다, 그 사람을.

"나, 잔인하죠? 더 잔인한 건, 잊는 것도 지우는 것도 아니라 한 사람을 더 이상 떠올리지 않는 무의식 상태가 되길 바랐어요. 그 사람에 관해서만큼은 뇌사 상태예요."

스물여섯 시간 버스를 타고 살바도르엘 가야 한다. 어쩌면 버스는 두어 시간 늦게 도착할지도 모른다. 예정 시간보다 일찍 도착하는 버스는 타보질 못했다. 예감보다 늦는 이별도 없다. 이별은 예감만큼 잔인하게 온다. 죽은 것도 아니고 살아가는 것도 아닌 중간인 것, 그것이 이별이다. 리우데자네이루에 들른 것은 살바도르에 가기 위해서였다. 그러고는 이구아수 폭포에 갈 것이고 그러고는…… 부에노스아이레스 '기적의 성당'에 가서 소원을 빌지도…… 소원을 빌게 되더라도 나 또한 그 한 사람의 이름은 떠올리지 말아야지.

아, 나도 영원히 볼 수 없는 한 군데는 남겨두기로 하자. 가고 싶더라도 보고 싶더라도 이구아수 폭포는 가지 말자.

16#

쓸쓸히 왔던 길

드라큘라를 만나러 루마니아에 갔다. 예상했던 대로 드라큘라는 없었다. 때 아닌 며칠 동안의 폭설을 뚫고 루마니아의 수도원들을 둘러보던 중 수도원 기행 일정의 마지막 여정이었던 몰다비아 지방의 산악마을인 타르구 님트Targu Neamt에 도착했다.

그곳으로 향하는 길은 쓸쓸히 아름다웠다. 색색의 집들과 지붕에 쌓인 눈과 곧 닥쳐올 봄의 예감들로 술렁거리는 들판이 쓸쓸히 눈부셨다.

버스에서 내려 어렵게 숙소를 정하고 나니 불쑥 왔던 길을 다시 가보고 싶어졌다. 해가 지기 전에 버스로 지나쳤던 곳으로 다시 가 사진도 찍고 흙길도 걷고 냄새도 맡고 싶었다. 인상 좋은 오십대 후반의 아저씨가 운전하는 택시를 잡아탔다. 조금 먼 거리여서 제법 택시 요금이 나올 테지만 어쩌면 그곳은 두 번 다시 오지 못할 곳이기에 더 그러고 싶었다.

나는 손짓 발짓을 섞어 가고자 하는 곳을 어렵사리 설명했다. 아저씨는 내가 가고 싶어하는 곳이 특정한 목적지가 아닌 그냥 길이라는 것을 이해하는 데 시간이 꽤 걸렸다. 그곳으로 갔다가 얼마간 머문 다음, 다시 그 차를 이용해 돌아오고 싶은 마음을 겨우 전달했다.

가는 길은 생각보다 멀었다. 아마 그곳을 다녀온다면 왕복 구십 레이 정도, 우리 돈으로 사만 원이 훌쩍 넘는 요금이 나올 것 같았다. 카드 통용이 어려운 그곳에서 얼마 남지 않은 현금도 현금이려니와 호사스러운 여

BV 05NZK

행을 하는 편이 아닌 나에게 교통비 사오만 원은 사치 같았지만 그냥 그렇게 했다. 원하는 곳에 도착해 그 부근 어디에선가 내리고 싶다고 했다. 그랬더니 갑자기 아저씨는 택시 미터기의 작동을 멈춘다.

"어, 무슨 일이지?"

나는 그의 행동을, 돌아가서 지금까지 요금의 두 배를 내면 된다는 뜻으로 이해하기로 했다.

잘 왔다는 생각이 들었다. 다시 가도 아름다운 곳이었다. 철로 된 지붕들, 나무를 손으로 깎아 만든 작은 창들과 담들. 집 마당에서 어슬렁거리는 강아지와 고양이. 매캐한 저녁 연기. 양쪽으로 길게 늘어선 나목들의 곡선…… 누구라 해도 그 아름다운 곳에 살고 싶을 것 같았다. 하지만 언제나 그쯤에서 해야 하는 일은 다시 돌아가야 하는 일. 적어도 차편이 끊긴 이곳에서 나를 데려가줄 사람이 지금 저기서 기다리고 있기 때문이기도 했다.

다시 한참을 달려 마침내 내가 출발한 지섬으로 택시는 돌아왔다. 멈춰 있는 택시 미터기를 의식하고 얼마를 주면 되냐고 묻자 그는 택시 미터기에 찍힌 편도 요금을 가리킨다. 내가 루마니아 숫자를 잘못 이해할 수도 있겠다 싶어 노트에다 요금을 써달라고 말했더니 역시 아까 말한 편도 요금만을 적어 보여준다. 나는 왜냐고 물었다. 아저씨는 뭐라고 대답했지만 나는 결국 그 말을 알아들을 수 없어 복사해 온 루마니아어 필수 단어장을 펼쳐 들었다. 찾아보니, 아저씨가 한 말은 이랬다.

"너무 많으니까……."

왕복 요금을 다 내기엔 너무 많다는 게 이유였다. 나는 몸짓을 그만두고 입을 다물고 숙연해졌다.

그가 좀 너무했다는 생각도, 나 같은 속물은 어떻게 살아가란 말인가 하는 생각도 들었다. 미안한 마음에 머뭇머뭇거리느라 얼른 차에서 내리지도 못했다. 아저씨는 나를 내려놓고, 그리고 '너무 많은 그 무언가'를 내려놓고 그렇게 그곳을 떠났다.

17 #

지금 내 말을 들어줄 사람은 당신밖에 없을 것 같다.

지금 당장 하고 싶은 일 한 가지가 있다면

당신 앞에서 우는 일.

그래도 우리는 이 생에서 한 번은 만나지 않았는가 말이다.

17-1 #

당신을 생각하느라 여기까지 왔습니다.
당신을 생각하느라 미열이 찾아왔습니다.
당신을 생각하느라 조금 웃었습니다.

내가 앓고 있는 것이 당신이 아니라는 생각이 듭니다.
공기라는 생각이 듭니다.
전부라는 생각이 듭니다.

18 #

어느 저녁 식당의 이별

사카모토의 이야기를 들으면서 나는 계속 반복되는 숨소리를 내지 않으려 애를 썼다. 한 여자의 이야기가 시작되고 있었다. 중국의 계림 일대를 여행하다가 그는 한 여자를 만났다. 물가에서였다. 여자가 수첩에 계속해서 뭔가를 적고 있는 모습이 인상적이어서 그 옆자리로 가까이 다가가 앉았는데 그때도 여자는 자신이 하고 있는 일에 열중이어서 그가 옆에 와 있는 줄 모르고 있었다고 했다. 사카모토는 물에 맨발을 담그고 매혹적으로 앉아 있는 여자에게 지금 뭘 하고 있느냐고 물었다고 했다.
"수학자예요."
그녀는 숫자가 가득 적힌 수첩을 물리며 그렇게 말했다.
신비한 뭔가가 잔뜩 섞인 듯한 그녀의 눈을 바라보면서 사카모토는 모든 것을 허물 수 있었다고 했다. 이상할 정도로 깊고 신비한 눈, 아닌 게 아니라 그녀의 아버지는 프랑스인이라고 했다.
사카모토는 그날 저녁에 수학을 가르쳐달라고 했고 그녀는 그러겠다고 했으며 그녀를 만나기로 한 자리에 가서 삼십여 분 동안을 기다렸다.
다정한 시간이 오고 갔다. 남자와 여자가 만나는 시간이 의외로 그렇듯.

여자는 급하게 식사를 했다. 그러는 바람에 의외로 터프한 식사 장면을 낯선 사내에게 보여줬겠지만 사카모토는 그런 것쯤은 아무 문제 아니라

CHURCH
Do You Think?

고 생각했다. 식사를 다 마친 그녀, 그녀가 할 말이 있다고 했다. 말을 조금 꼬는 듯하더니 그녀는 자신이 수학자가 아니라고 했다. 어차피 사카모토는 태어날 때부터 수학 따위엔 관심이 없었다. 괜찮다는 말을 왜 했는지는 모르지만, 사카모토는 그 말을 내뱉고 말았다.
그녀가 그 이유를 설명하고 싶어했다. 사카모토에게 그 이유 따윈 하나도 중요하지 않았지만 그녀는 입을 열었고 그 말을 들을 수밖에 없었다.

"배가 고팠어. 배가 고파서 거짓말을 한 거예요."

그 말이 끝나기가 무섭게 여자가 자리에서 일어나 식당 문을 열고 나가더라는 것이었다. 사카모토는 따라나가 그녀를 잡아야 하나, 말아야 하나 따위는 이미 중요한 문제가 아니었다고 말했다. 사람의 몸에서 어쩌면 그토록 힘이 한꺼번에 빠져나갈 수 있는 것인지 발가락조차 움직일 수 없는 상황에 이르렀고 오히려 앉아 있는 의자에 잡아먹힐 것처럼 온몸이 줄어드는 것을 느꼈다고 했다.
사카모토는 그날 밤부터 며칠을 앓았다. 그녀를 만나기는 한 것인지, 그것이 물가였는지 어느 저녁의 어두침침한 식당이었는지 그 무엇도 선명하지 않은 상태에서 몸져누웠다고 했다. 무엇 때문이었다고 생각할 수 없을 정도로 무의식 속에서 누워 지냈다는 것밖에는 기억할 수 없었다.
그렇게 다 앓고 난 후 자리에서 일어나는데 이번엔 눈과 코에서 믿을 수 없을 정도의 액체가 쏟아져 나왔다고 했다. 남아 있는 최소한의 기운으로 할 수 있는 일은 오로지 액체를 쏟아내는 것.
사카모토는 숙소에서 나와 그녀를 만났던 식당을 지나 그녀를 만났던 물가에 도착했다고 말했다. 그러고는 다시는 볼 수 없을 한 존재를 생각하다가 자신도 양말을 벗고 흐르는 물에 맨발을 담갔다고 했다.

사카모토는 사진작가인 선배의 촬영 여행에 동행한 거였다. 일정이 거의 끝나갈 무렵, 각자의 시간을 가지기로 했고 그 빈 시간 동안 그 일을 겪은 거였다.

그 여행에서 돌아와 한참 후, 전시를 준비하고 있던 선배는 사카모토에게 도움을 청했고 사카모토는 당연히 돕는 일에 투입되었다.

선배는 사카모토에게 전화를 걸어 액자 공방에 맡긴 작품들을 공방 사람들과 함께 갤러리로 옮겨달라고 했다. 사카모토는 개별 포장된 액자들을 차에 실어 갤러리로 옮긴 다음 선배를 도와 액자를 걸기 시작했다.

선배가 좁은 갤러리 한쪽에서 포장 재료들을 치우고 있던 사카모토를 불렀다. 못의 높이를 조절한 그가 옆에 세워둔 액자를 걸어보라고 한 것이다.

사카모토는 액자를 집어 들었다. 아니, 액자를 집어 든 것이 아니라 집어 들다가 아무것도 앞이 보이지 않는 상태가 되어 딜썩 무릎을 꿇었다.

"무슨 일이야?"

놀란 선배가 사카모토의 등 뒤에 대고 날카롭게 소리를 높였다.

사카모토를 그토록 휘감았던 것은 바로 그, 배고프다던 여자가, 그때 그 물가에 앉아서 무심히 카메라를 응시하는 모습이었다.

19 #

언젠가는 그 길에서

갔던 길을 다시 가고 싶을 때가 있지.
누가 봐도 그 길은 영 아닌데
다시 가보고 싶은 길.

그 길에서 나는 나를 조금 잃었고
그 길에서 헤맸고 추웠는데,
긴 한숨 뒤, 얼마 뒤에 결국
그 길을 다시 가고 있는 거지.

아예 길이 아닌 길을 다시 가야 할 때도 있어.
지름길 같아 보이긴 하지만 가시덤불로 빽빽한 길이었고
오히려 돌고 돌아 가야 하는 정반대의 길이었는데
그 길밖엔, 다른 길은 길이 아닌 길.

PRECIOUS STONE CUT
INF·4699

20 #

그리 아름답다니

앞을 볼 수 있다면 뭘 제일 먼저 하고 싶어요?

앞을 보지 못하는 것이 세상에서 제일 무서운 일일 것만 같은 나는 그에게 서슴없이 묻는다.
"남의 물건을 훔치고 싶어요. 그 기분을 알고 싶어요."
아, 내가 당신이라면 사랑하는 사람 얼굴을 보게 해달라거나, 청소를 잘하고 싶다고 말할 것도 같은데. 그리 아름답다니 바다의 색깔이 보고 싶다고 말할 것 같은데. 친구의 얼굴을 보고 싶다고, 아니 단 한 사람의 얼굴이 어찌 생겼는지 보고 싶다고, 지금 당신 모르게 손가락을 꼼지락거리며 손가락 춤을 춰 보이는 내 손이 어떻게 생겼는지 한번 보고 싶다 할 것 같은데.
아, 남모르게는 절대 할 수 없는 일.
앞을 볼 수 없으면 절대로 할 수 없는 일이 바로 훔치는 일이겠구나.

멋지다. 이 소원. 내가 알고 있는 한 가장 멋진 소원이다.
나는 그의 근사한 마음이 훔치고 싶어졌다.
남의 물건을 훔치고 싶다는 그 말을 들은 순간, 내 마음은 오갈 데를 모르고 나도 눈이 먼 것 같다.

매일 지나는 길에 체리나무 한 그루가 있는 집이 있다. 담장 바깥으로 얼마쯤 내민 체리나무는 수많은 체리를 매달고 축 늘어져 있었다. 나가는 길에 몰래 서너 개, 돌아오는 길에 몰래 두어 개를 매일매일 따먹고 있건만. 이제 그것도 그만두어야겠다.

21 #

평범식당

쓰가루의 눈발. 고쇼가와라五所川原 역. 두 시간가량 기차를 기다려야 한다. 역 안에서 기다리자니 그렇고 눈을 맞으며 걷자니 폭설이다. 기차가 제시간에 뜰 수나 있을지 모르겠다. 겨울에만 조개탄으로 난방을 해서 운행한다는 두 량짜리 기차는 협궤열차였다. 역무실로 들어가 가방을 맡아달라 부탁한 뒤 몸을 녹일 곳이 없나 하고 역 앞에서 서성이는데 바로 건너편에 보이는 식당 이름이 마음을 건드린다. 평범식당平凡食堂.

피식 웃음이 나온다. 식당 이름이 평범이라니. 그런 델 누가 가겠어.

눈발이 무성한 허공으로 눈을 움직이지만 그곳 허공에도 '평범'이란 이름이 박혀 있다. 어쩐담, 자꾸 나를 이끄는 저곳을. 게다가 배고프지도 않은데. 하지만 어느새 배가 고파진다. 일 분도 넘기지 않아 큰 허기가 몰려오고 나는 그 식당으로 향한다. 식당 밖에 서서 안을 기웃거리다가 커다란 난로를 발견한다. 텅 빈 식당을 채우고 있는 건 정중앙에 놓인 난로 위에 김을 뿜어내고 있는 주전자.

들어가야 하나. 이미 나는 문을 열고 있다. 아, 평범한 실내의 공기. 실내의 온기. 주인인 듯한 어르신이 힐끗 나를 쳐다본다. 나는 한동안 서서 안을 두리번거린다. 여기서 살고 싶은 생각이 간절하다. 이곳에 들어온 지 몇 초도 되지 않아 나는 주인 어르신의 '시다'가 되어 여기 눌러 있고만 싶다. 내가 한참 서 있으면 주인이 나를 싫어할지도 몰라. 나는 얼른 난로 옆에 앉는다. 아, 난로는 백 년은 된 듯 보이고 주전자는 오십 년은 되어 보인다. 그리고 물 끓는 소리. 이 물을 조금 마시고 싶군요. 마음으로만 그렇게 중얼거리는데 주인이 와서 내게 물 한 잔을 따라준다.

아, 이 순간. 나는 이 순간을 가만히 붙들고만 있고 싶다.

뭘 먹겠냐고 하는 것 같아 나는 얼른 벽으로 눈을 가져가 유일하게 아는 글씨를 읽어 평범할지 어떨지 모르는 덮밥을 주문한다. 녹슨 의자와 바깥에 내놓아도 아무도 가져가지 않을 듯한 테이블들. 그 위에 놓인 간장병과 시치미병. 습기 찬 창가에 아무렇게나 놓여 있는 작은 식물들. 금 간 시멘트 바닥. 세상에, 연통에 널어놓은 행주 두어 장. 이 평범함으로 이곳의 주인장은 뭘 내놓을까. 뚝딱. 음식이 나왔다. 음식을 앞에 놓고 코를 씰룩대고 있는 나에게 주인이 뭐라고 한다. '아, 눈이 너무 많이 오네요' 정도를 말했겠으나 나는 씨익 웃기만 하고 젓가락을 집는다. 젓가락도 일회용 나무젓가락. 쩌억. 젓가락이 평범하게 갈라진다. 밥 냄새와 소고기와 간장 냄새가 입체적으로 맡아진다. 음식은 평범 이상. 물 한 모금.

가능한 한 최대한 느리게 식사를 한다. 평범한 한 끼를 기대하고 들어선 이들에게 살짝 그 이상을 보여주는 것, 이 식당의 설정이 아닌가 싶다.

문이 끼익 열린다. 열리는 문 사이로 눈사람이 들어서고, 그 문 뒤로 눈발이 나부낀다. 눈을 털고 들어오는 이는 사내다. 피식 웃음이 나온다. 누가 봐도 조금 전 음식을 내온 아저씨의 동생이다. 고작 식당 문을 열고 들어오는 이가 동생이라니 정말 평범하다. 왜 형제식당이라 하지 않고 이름을 이리 지었나. 아, 저 동생 이름이 평범인가.

나도 나 스스로를 M사이즈라고 여기는 적이 많다. 옷도, 사람도 실제로는 L이어야 하지만 때로 XL이겠지만 나는 나를 M이라는 상태로 놓아둔다. 나는 이 세상에서 나란 존재가 눈에 띄지 않는 게, 그 상태가 감사하다.

평범이란 말보다 큰 말이 세상에 또 있을까. 평범한 것처럼 남에게 폐가 되지 않고 들썩이지 않고 점잖으며 순하고 착한 무엇이 또 있을까.

거참, 눈 한번 평범하지 않게 내린다.

22 #

아이의 작은 손

병원, 장염인 듯싶다. 대기실에 앉아 있는데 진료 차례가 된 엄마가 잠시 나에게 아이를 맡겨도 되겠냐고 묻는다. 나는 충분히 괜찮지만 아이가 괜찮을까. 엄마는 서둘러 의사를 만나러 들어가고 한 공간에 아이와 나만 남았다.

아이는 긴장하고 있다.
낯선 사람과 같이 있어야 한다는 사실은 좀 가혹할 수도 있겠다.
하지만 어쩔 수 없다.
이렇게도 지내봐야 하는 거다.
대기실에는 작은 소리로 티브이가 켜져 있었다.
아이는 그 속으로 빨려들어가는 것이 낫겠다고, 생각하는 것 같다.
아이가 티브이 쪽으로 걸어가더니 멈춰 섰다.
뭘 보았는지 티브이에 얼굴을 고정한 체 손만 들어 나를 불렀다.
수십 마리의 고래 떼가 바다 위를 헤엄치고 있는 다큐멘터리였다.
아이는 눈이 점점 커지더니, 나를 부르는 손을 더 크게 움직였다.
손짓이 간절했다.
나도 아이 옆에 나란히 서서 아이가 보고 있는 것을 보기 시작했다.
아이가 작은 손으로, 내 두꺼운 손을 잡았다.

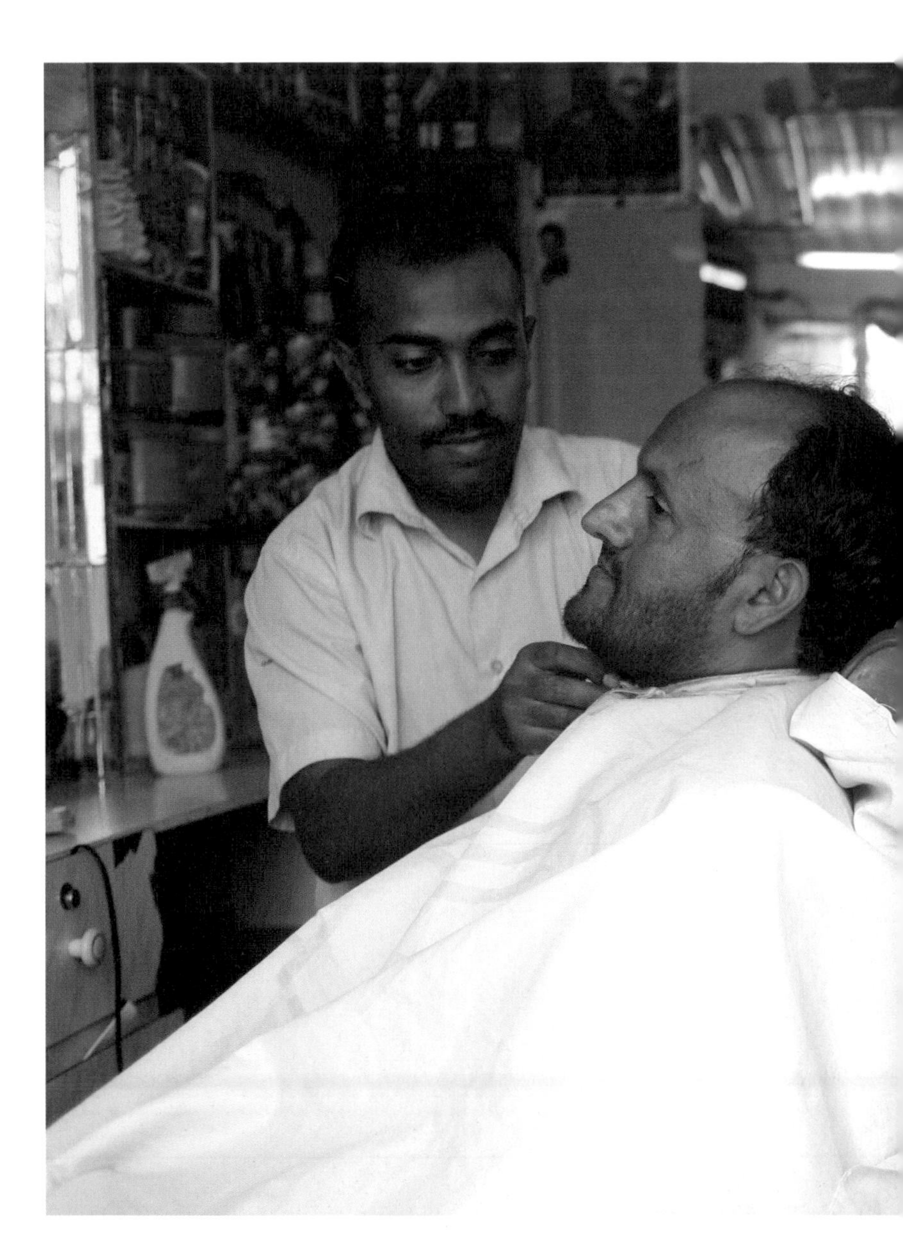

23 #

전망 좋은 방

밤이 늦었으니 일단 가이드 책자에 소개된 숙소로 향한다. 방이 있냐고 묻는다. 특별한 방이 있단다. 건물 꼭대기 방인데 예멘의 수도인 사나가 한눈에 다 보인단다. 비싸지 않냐고 했더니 비싸지 않단다. 7층인데 엘리베이터가 없단다. 뭐, 괜찮다. 안 내려오면 되니까.
다음 날, 안 내려올 수 없어 시장 구경을 하러 내려오는 길에 밥도 먹고 다시 올라가는 길. 숙소 입구를 지키고 있는 너에게 인터넷이 되느냐고 물었다. 물론 된다고 한다. 어떻게 하면 되냐고 물었더니 방에 가서 기다리란다. 올라가면서 너의 이름을 물으려다, 너도 이름이 무함메드냐고 묻는다. 정말이지 아랍에서는 남자의 80%가 그 이름인 것 같다. 너는 무함메드가 맞다고 대답한다. 방에 올라왔는데 시간이 꽤 흐른다. 얼마 후, 무함메드가 올라왔다. 문을 열자 무함메드도 숨을 고르느라 벽에 기대서 헐떡거리고 있다. 헌데 그가 어깨에 둘러멘 것이 있으니 엄청난 길이의 케이블이다. 나는 그게 뭐냐고 묻는다. 인터넷을 하고 싶다고 하지 않았냐고 되묻는다. 그가 나에게 케이블의 끝을 잘 잡고 있으라고 한다. 그러더니 돌돌 말아서 가지고 올라온 케이블을 힘차게 창문 아래로 던진다. 선이 아래로 하염없이 떨어지는 것을 보다가 나는 그만 내가 잡고 있는 케이블을 놓칠 뻔했다. 아래로 떨어지면서 엄청난 무게가 손끝에 전해졌다.
"잘 잡고 있어야지. 놓치면 내가 다시 올라와야 하잖아."

무함메드는 십 분 뒤에 인터넷이 연결될 테니 그렇게 알고 있으란다. 나는 인터넷 선을 놓치지 않으려 꼭 붙들고는 엉거주춤 서 있다가 노트북에 연결을 했다. 느리긴 하지만 정말 인터넷이 된다.

그뒤로 무함메드 얼굴만 보면 케이블 생각이 나 웃음을 숨길 수 없었다. 정말 더 웃긴 건 그의 눈이 풀어졌을 때, 매일 오후가 되면 그 모습을 볼 수 있다. 예멘의 거의 모든 남자들은 '가트'라는 것을 하는데, 녹찻잎처럼 생긴 것을 한 시간가량 질겅질겅 씹는 것으로 천연 마약 같아 보인다. 불법이 아니다. 성인 남성이 되면 누구나 다 하는 것이 이 가트다. 담배는 안 피워도 가트는 한다. 어느 세계나 그렇듯이 고급 가트와 그냥 그런 아주 싼 가트도 있다. 모두가 그것에 집중하고 몰두하는 그 시간에는 나마저 묘한 소외감을 느낀다.
다음은 무함메드와의 '가트' 인터뷰.
— 가트는 왜 오후에 하는지?
— 오후 세시부터 다섯시 사이가 좋으니깐.
— 왜 아침에 안 하고 오후에 하냐고오?
— 다들 그때 하니까.
— 그걸 하면 어떤데?
— 마음이 편해져.
— 또?
— 진한 커피 세 잔을 마신 정도의 그런 기분?
— 그럼 나한테 필요한 거네. 나도 작업할 때 일이 안 풀리면 진한 커피 한 잔을 마시거든. 또 있나?
— 잠이 안 와.
— 우와, 좋군.
— 식욕도 없어져.

— 우와. 더 좋군. 그리고 또?
— 엑스터시.
— 음, 정신적인 거나?

어디로 볼일을 보러 간다 하기에 딱히 할 일이 없는 나는 그가 모는 차를 타고 따라나선 적이 있었다. 아니나 다를까. 교외로 차를 몰고 가 좋은 가트를 싸게 파는 데라며 차를 세우더니 가트를 샀다. 나는 소량으로 시도해봤지만 처음이라 그런지 영 느낌이 안 왔고 엄청난 양의 가트를 우적우적 씹어대던 그의 눈이 풀어지기 시작하는데 순간 겁이 났다. 나는 몇 차례 괜찮냐고 물었고 차를 세우고 좀 쉬어가자고도 말했다. 그러자 가트 덕분에 운전이 더 잘 된다는 무서운 말이 돌아왔다. 내가 말했다.
— 경제가 가트를 소비하는 쪽으로만 원활하게 돌고 있는 것 같아, 이놈의 나라는.
— 가트 때문에 아이를 굶기지 않는 남자가 예멘에서는 성공한 남자야.

그러더니 그가 물었다.
— 너, 방 옮길래?
— 어디로?
— 아래 쪽으로.
— 전망이 좋은 방이잖아.
— 그래도 너무 너무 너무 높지 않아?

예멘에서는 이상하게도 특별한 일들이 많았다.
침대 매트가 바닥으로 주저앉는 일도 있었다. 자다가 머리 쪽 침대의 하체가 빠개져 주저앉는 바람에 그 놀라움은 더 컸고 그 새벽에 다른 방으로 옮겨야 했다. 제발 자기네 집에 와서 식사를 해달라는, 길에서 마주친

한 어르신의 집에 가서는 창문밖 저기서부터 저기 보이는 데까지가 자기 땅이라는 자랑을 들어야 했으며, 쉬밤shibam 사막에 나갈 때는 알카에다 녀석들 테러 때문에 위험하다며 실탄이 장전된 기관총을 든 경찰이 내내 나를 호위해 사막을 여행하고 있는 기분을 영 못 느끼기기도 했다. 하긴 알카에다 본부가 여기서 멀지 않은 곳에 있다고 했다. 새윤sayun으로 가는 버스에는 외국인을 안 태웠는데 외국인이 탄 걸 알면 버스를 폭파시킬 확률이 많아서라고 했다. 그래서 어쩔 수 없이 비행기를 탔는데 국내선 공항인데도 목적지에 도착한 국내선 승객들에게 버젓이 면세품을 팔고 있었다. 어, 이게 뭐야? 그랬더니 돌아오는 답변. 뭐긴 뭐야? Arrival Tax Free야.
또 한번은, 시장에 앉아서 건포도를 팔고 있는 아저씨 몰래 사진 찍다가 결국 눈이 마주치고야 말았다. 난 웃으며 자리를 떠나려는데 아저씨가 인상을 쓰며 이리 오란다. 이제 죽었구나 싶어 가까이 갔는데 내 양손을 펴서 모으라고 하더니(자로 내 손바닥을 때릴 줄 알았다) 두 손 가득 건포도를 얹어주었다.

새윤에서의 어느 날은 밖으로 절대로 나가면 안 된다고 했다. 왜냐고 물었다. 라마단 축제 어쩌고라고 했다. 아무도 일을 하지 않고 길에 다니는 사람이 없으니 나도 하루 종일 방구석에 있어야 한다고 했다. 그러더니 아예 현관문까지 잠갔다. 현관문은 안에서 열 수도 있는 것 아닌가. 정말 심심해서 두어 시간 몰래 나갔다 왔다가 맞아죽을 뻔했다.
"경찰서장이 와서 너 아무 데도 가지 못하게 감시하라고 했어. 경찰들이 이 사실을 알면 너를 당장……."
난 그냥 싱끗 웃고난 뒤, 대신 찬바람을 일으키며 방으로 올라갔다.
방에는 내가 나가지 못할 것을 알고 준비했던 음식들이 차려져 있었다.
아, 정말 아무 데도 열지를 않아서 아무것도 못 먹었단 말이야.

어느 찻집 소년이 나에게 말을 걸었다. 어디서 왔냐고. 한국에서 왔다고 답했다. 그러면 너네 나라에서는 한 달 동안 자기처럼 이런 일을 하면 얼마를 벌 수 있냐고 물어온다. 나는 대충 계산을 해서 대답을 했다. 그랬더니 그가 달력을 가리키면서 강조한다. 아니, 일 년 말고 한 달을 일하면 얼마를 버느냐고! 나는 같은 대답을 했다. 갑자기 손은 왜 씻는 건지, 손을 열심히 씻더니 나 돌아갈 때 자기를 꼭 데려가달란다. 나는 멀어서 안 된다고 대답했다. 소년이 뭐가 머냐고 묻는다. 적어도 비행기로 열여섯 시간 이상을 가야 할 거라고 말한다. 그랬더니 소년이 하는 말. 나는 어렸을 때 할아버지랑 사우디아라비아를 걸어서 다녀왔거든. 얼마나 걸렸냐고 물었다. 가는 데만 이십 일. 오는 건 이십일 일. 왜 올 때는 하루가 더 걸렸냐고 물었다. 올 때는 길을 잘못 들어서 그랬단다.

또다른 충격은 예멘 여행을 마치고 도착한 국제공항에서였다. 독일로 나오는 비행기를 타기 위해서는 일단 게이트에서 나온 다음 활주로를 이용해 비행기가 서 있는 곳까지 버스로 이동을 해야 했다. 단지 공항 건물만 벗어난 것뿐인데 그 버스 안에서 절반가량 되는 여인들이 일제히 검은색 아바야(머리부터 발끝까지, 눈만 제외하고 모두를 가리는 아랍 여성들의 의상)를 마구 벗어젖히기 시작했다. 몸에 달라붙은 날벌레를 급히 털어내는 동작 같다고나 할까. 사실 공항을 벗어났다기보다는 공항과 비행기의 어중간한 지점임에도 불구하고 그들을 누르고 있던 관습을 벗어버리는 모습은 강렬했고 전투적이었다. 더 강렬한 것은 안에 입고 있던 눈부시게 화려한 색깔의 옷들. 그리고 굉장한 미모. 세상에나, 어떻게 저 미모를 숨기고 살고 있는 거지?

'이상한 나라'에 '률'이 다녀왔으니 그 나라를, 예멘이라 부르겠다.
아, 한 가지 빼먹은 것이 있다. 예멘의 성인 남자들은 모두 배꼽 바로 밑에다 칼을 차고 다닌다.

24 #

내가 어떻게 해야 하는지 알려주세요

운이 좋게도 파리에 살아본 적 있다. 파리에 살면서 습관 하나를 얻게 되었는데 그건 벽에 붙여놓은 손바닥만 한 손글씨 광고지를 그냥 지나치지 않는 습관이다. 아마도 알 것이다. 벽에 붙여놓은 광고지 밑부분에 필요한 사람이 떼어갈 수 있게 전화번호를 적고 종이를 살라놓은 그것을, 바람이 불면 너풀거리는 그것 말이다. 나는 지금도 혼자서 길을 길 때 그걸 보면 그냥 지나치지 못하고 떼어오는 습관이 있다.
파리에서, 카메라를 팔 일이 생겨 광고지를 붙인 적이 있었다. 하지만 이틀이 지나도 전화번호를 떼어가는 사람이 없었다. 그 길을 지나며 몇 사람이 그걸 떼어갔는지, 몇 사람이 내가 붙여놓은 종이에 관심을 가졌는지 궁금했지만 그저 전화번호만 찬바람에 팔랑거릴 뿐이었다.
그때부터 그런 유의 광고지를 유심히 보는 버릇이 생겼다.

— 몽마르트르 근처에 작은 카페를 차렸어요. 내가 장애가 있어 말을 못하고, 내 여자친구인 요리사도 말을 못 해서 그런지 사람들이 안 와요.

— 단편영화를 찍어야 하는데 간절히 공간이 필요합니다. 내가 살고 있는 집은 식구가 많을 뿐더러 이해해주지도 않아요. 넓지 않아도 좋아요. 한 이틀 정도, 허락해주시는 공간에서 꿈을 촬영할 수 있게 도와주세요.

— 우리 집 현관에 화분 놓고 가셨죠? 버린 건 아닌 것 같은데 선물도 아닌 것 같으네요. 제발 내가 어떻게 해야 하는지 알려주세요. 난 곧 여행을 가야 하거든요.

아무런 관심이 없더라도 그냥 그렇게 전화번호를 한두 개쯤 떼어오는 버릇이 생긴 건 파리에서의 그런 일로부터다. 그러면서 사람들의 이야기 속으로 빨려들어가거나 상상하거나 한번쯤 만나보고 싶거나…… 그리 되었다. 나는 이야기에 약하다. 이야기에 무너진다. 그래서 엿보고 엿듣고, 내 여행은 어쩌면 당신의 그런 일들을 받아 적는, 기록인 것이다.

파리에 백 년이 넘는 전통을 가진 소박한 빵집이 있다. 이 집은 바게트가 아주 유명한 집인데 빵맛의 비결은 특별한 게 없다고 하지만 빵반죽을 할 때, 그걸 조금 떼어서 남겨둔 다음, 다음번 반죽을 할 때 합치는 것이다(한번 빚은 반죽 덩어리를 모두 다 오븐에 굽지를 않고 반죽의 일부를 남겨 다음번 바게트를 반죽할 때 섞는다). 그러니까 한마디로 말하자면 백 년 된 기억이 조금씩 끊임없이 섞이면서 빵맛을 고스란히 유지하고 있는 거란 이야기가 된다.
그에 비하면 나는 뭔가를 남기는 사람이 아니다. 모두 소비해버리고 먹어치운다. 물질도 마찬가지이고 감정도 마찬가지이다. 언제 필요할지 모른다는 불안감에 비축해두지도 않을 뿐더러 이자처럼, 도시락의 한귀퉁이처럼 남겨진 그걸 어쩌겠다고 뒤돌아보는 성격도 아니다. 하지만 어느 다음을 위해 조금씩 떼어두는 연습을 하지 않는다면 그 무엇도 기억할 수 없을 거라는 무섭고도 무거운 사실만 이제 조금 인정할 뿐.
그 빵집은 반죽을 남기는 게 아니라 기록을 남긴다. 그 기록을 반죽해 기적을 굽는다.

25 #

지랄이다

1.

애초 분홍은 잘못 태어난 색이다. 색이 되려고 태어난 무엇이 아니라 공기가 되려는 것을 한사코 잡아놓은 것이다. 색이 되려고 했는데 빛을 너무 많이 쏘였다. 부언가 되다 말려고 했는데 바람이 닥치는 바람에 굳어버렸다. 색깔의 시생이. 보라색이 그런 것처럼 보나마나 분홍색도 화학적 실수로 인해 발견된 색일 것이다. 그래서 지루한 세상은 조금 나아졌던가. 인류의 이 안 좋은 기분이 나아졌는가. 아픈 머리에 머플러를 두르고 봄이면 발광하는 분홍.

2.

욕망의 놀이를 하고 싶었다. 이 색과 저 색 사이를 뛰어다니며 이 색과 저 색의 질투라도 불러내고 싶었다. 싸움이 있는 곳에 언제나 그 색이 있었다. 나와 당신의 싸움, 당신과 나의 싸움, 그 자리에도 분홍은 끼어들었다. 하지만 혼자 놀아야 할 색이 아니던가, 분홍은. 그래서 분홍은 꽃이 되었다.
'곁을 주다'라는 말. 분홍은 그 말의 용법을 안다. '혹시 날 위해 웃어줄 수 있어요?'라고 묻는 사람에게 헤프게 웃어줄 줄도 안다.
은근 닮았다. 초여름 저녁의 노을. 높은 곳에 올랐을 때의 심장의 빛깔.

그리고 자신이 무엇임을 안다. 불륜한 경지에 들었음을 선언했으므로 무엇이든 저지를 수 있다.
"꼭 집에 있어요. 나를 배달시킬 겁니다. 받는 즉시 개봉하세요. 오래 두면 위험합니다. 대신 부끄러움이 많으니 혼자 있을 때만 개봉하세요."
그렇게 분홍은 배달된다.

3.

조금 가난한 색. 그래서 그 위에 많은 것들을 내려놓고 싶은 색.
조금 모자란 색. 그래서 많이 배울 수 있는 색.
길에 넘어진 일이 자꾸 머리에 남아서 귓가가 화끈해지듯, 실수한 일들이 그 다음 날까지 따라와 더 선명해지듯, 자꾸 마음에 남는 색. 돌이킬 수 없는 일들일수록 가슴에 더 오래 남는다. 지워도 닦아도 더 선명해지니까.
마음에 따라 두꺼울 수도, 얇을 수도 있는 색이다. 투명해 보일 수도 탁해 보일 수도 있는 색이다. 기분에 따라 그림이 많게 보일 수도, 글씨가 많게 보일 수도 있는 책과 같은 색깔이다.
나와 상관없는 일은 보이지 않고, 내가 필요로 하는 색만 보인다. 우리가 분홍색을 알아볼 때도 마찬가지다. 우리가 그걸 원하고 있을 때만 확연히 눈에 들어온다. 누구나 살고 있지만 누구나 살아 있다고 느끼기 어려운 것처럼.

4.

가끔씩 우리가 잊어버리고 사는 것들. 지난 초겨울 세탁소에 맡겼는데 까마득하게 잊고 지냈던 옷이나 언제 기회가 되면 써야지 하면서 서랍에 넣어두었던 할인쿠폰 같은 것들.
물론 고의로, 의도적으로 잊어버렸던 것들도 있다. 도장을 파달라고 시

켜놓고는 막상 도장 쓸 일을 지나쳐서 그냥 안 찾으러 가거나, 서점에다 책을 주문해놓고는 에이, 그냥 없던 걸로 하자며 접어버리는 일. 오래전부터 기다려왔던 약속에 갑작스레 아예 나가고 싶지 않을 때나, 좋아한다고 말하고 돌아서는 순간부터 좋아지지 않아서 연락을 끊어버렸던.

그건 분홍이 시킨 일들이다. 그런데 정말 아까운 것들. 너무 오래되어 기한마저 지나버려서 다시 회복할 수 없을 때의 기분이란, 또 얼마나 지랄인가.

지금 찾으러 가면 그 세탁소에 내 옷이 있을까? 도장 쓸 일이 급하게 생겼는데, 지금 찾으러 가면 뭐라고 안 할까. 지랄이다.

가지려고 하는 마음 상태를 그대로 드러내는 속살의 색깔이다. 안달의 색이며 당신 옆에 있는 다른 사람을 질투하는 상태와 당신 자체를 송두리째 질투하는 또다른 마음의 흥분. 그러니 참 고약하다.

심장으로도 가 닿을 수 없는 것들이 있겠지만, 당신에게 일생 동안, 단 한순간만이라도 붙들리고 싶더라도 당신의 문이, 마음이 열리지 않는 건 어쩔 수 없는 일.

5.

심정의 기복을 담은 색. 그래서 먹고 싶거나 몸에 걸치고 싶은 색. 마음에 닿으면 길길이 일어날 것만 같은 색. 칙칙한 바닥에서 일어나라고 부추기는 색. 모든 것들이 아무 의미 없이 느껴지는 날, 가까이 두어야 할 분홍은 그런 색이다.

26 #

잘 다녀와

공휴일이다. 미용실 창문 안으로 어린아이들이 보인다. 사내아이도, 여자아이도 머리에 잔뜩 뭔가를 올리고 뭔가를 뒤집어쓰고 있다. 개 한 마리도 미용실 안 빨간 소파 한가운데 몸을 올려놓고 안쪽이 재미없다는 듯 밖을 내다보고 있다.

바깥은 어떨까 궁금하기도 하지만 몸이 쉽게 움직여지지 않는 날. 그래도 슬리퍼를 끌고 동네 한 바퀴를 돌다가 찬 음료를 사 들고 느릿느릿 걸음의 속도를 늦추다보면 눈에 들어오는 것들은 모두 다 미지근해진다.

그럴 때 너를 만난다. 너도 나처럼 슬리퍼를 끌고 있고 부스스한 얼굴로 나를 알아본다. 너는 누군가로부터 내가 여행을 갔다고 들었다고 한다.

'그건 옛날이야'라고 나는 단번에 말한다.

나에게도 '빨간 날'들로만 가득 찬 날들이 있었다. 나에게 말을 걸기 위해 비행기를 탔고 나에게 말을 거느라 눈이 시뻘게지도록 걷는 날들이 많았다. 그러다 심심하면 케이크 한 상자를 사서 하루 종일 들고만 다녔다. 매일매일 기념일이었다. 전화를 받지 않아도 되었으므로, 원고를 쓰지 않아도 되었으므로.

어느 낯선 곳에 도착해서 역에 나가 한참을 앉아 있다 돌아오는 일이 좋았다. 기차 시간표 주변을 어슬렁거리다가 가야 할 목적지를 찾은 듯이

하루 동안의 기차 시간표를 수첩에 옮겨 적고는 되돌아오는 길에 '난 아무 데도 가지 않을 거야. 이곳만으로도 충분하니까'라고 중얼거리는 것. 그것은 기념일에 어울리는 대사였다.

육 개월 동안 계속되는 빨간 날들을 만들겠다고 너는 말한다. 일을 그만두고 낯선 곳으로 날아가 자동차 하나를 사겠다고 한다. 이쪽 끝에서 저쪽 끝으로, 저쪽 끝에서 다시 정반대 쪽을 향해 차를 몰다보면 너의 서른 살이 조금 괜찮아질 거라고 말한다. 다른 사람들이 사랑을 찾는 동안, 네가 그 틈에 끼어 네 감정을 케이크 조각만큼 나눠주는 동안, 그 피곤 때문에라도 네 자신이 실망스러웠노라고 한다. 그렇게 말하는 넌 어떤 달리기에서 진 사람 같았다.

그러나 괜찮다. 너는 무려 육 개월 동안이나 계속되는 빨간 날들을 만들기로 했으니까. 너는 잠시 동안의 최면 속으로 걸어 들어가 조금 울고 조금 웃다가 오래달리기를 마친 얼굴을 하고 그리운 것들을 찾아 되돌아올 테니까.

세상의 모든 등대를 돌아보고 왔다고 한들, 서커스단에 섞여 유랑하느라 몸이 많이 축났다고 한들 뜨겁게 그리운 것들이 성큼 너를 안아주지는 않겠지만 그래도 괜찮다. 그들은 너를 질투할 것이 분명하니까.

누군가가 네가 없는 너의 빈집에 들러 너의 모든 짐짝들을 다 들어냈다고 해도 너는 네가 가져온 새로운 것들을 채우면 될 터이니 큰일이 아닐 것이다. 흙도 비가 내린 후에 더 굳어져 인자한 땅이 되듯 너의 빈집도 네가 없는 사이 더 견고해져 너를 받아들일 것이다. 형편없는 상태의 네 빈집과 잔뜩 헝클어진 채로 돌아온 네가 서로 껴안는 것, 그게 여행이니까.

그렇게 네가 돌아온 후에 우리 만나자. 슬리퍼를 끌고 집 바깥으로 나와본 어느 휴일, 동네 어느 구멍가게 파라솔 밑이나 골목 귀퉁이쯤에서 마주쳐 그동안 어땠었노라고 얘기하자.

27 #

황홀한 말

말 한마디가 오래 남을 때가 있다. 다른 사람 귀에는 아무 말도 아니게 들릴 수 있을 텐데 뱅그르 뱅그르 내 마음 한가운데로 떨어지는 말. 한마디 말일 뿐인데 진동이 센 말. 그 말이 나를 뚫고 지나가 내 뒤편의 나무에 가서 꽂힐 것 같은 말이.

"만약 네가 원한다면 우리 집에서 지내도 좋아."

왜 그 말을 들으며 활짝 웃지 못하고 힘들었는지. 나도 잘 이해가 가지 않는 말이어서였을까. 그저 아주 넓은 판자 위에 나는 누워 있고 그 나무 판자가 강물이 내는 속도에 몸에 맡겨 흘러가고 있다는 기분을 느낄 뿐. 왜 말은 바람이 되고 물살이 되는가.

"우산 가져왔어요?"

그날 밤은 나만이 아니라 세상 사람들 모두가 잠들지 못하는 것 같았다. 그 말 때문이었다. 모든 것이 사라져도 떠나지 않고 남아 있는 말, 모두 다 빗물에 씻겨도 씻겨 떠내려가지 않을 당신, 그 무렵 그 말이 나에게 얼마나 힘이 되었는지를 당신에게 말하지 못했다.

"또 볼 수 있겠죠?"

어떻게 볼 수 없을까. 그림을 이야기하고 기르던 고양이를 이야기하다가 저녁이 오는 것까지 같이 바라봐야 한다면 어떻게 멀리 있을 수 있을까. 사라지는 것을 보는 일과 사라지는 것을 애써 잡는 일, 그 일을 혼자는 할 수 없을 터인데 어떻게 우리가 따로일 수 있을까.

"나 대신, 다 다녀줄래요?"

이 말에 나는 내 어깨를 부딪쳤다. 적어도 나에게 그렇게 말해주는 사람은 없었다. 사람은 태어나 평생 16만 킬로미터를 걷는다고 한다. 그 길이가 무려 지구 세 바퀴. 16만 킬로미터보다 더 넓은 가슴을 가진 한 사람이 내 앞에 있다는 게 터지게 터지게 좋았다. 나는 어딘가로 갈 때마다 그 말이 담긴 작은 상자를 가방에 담았다. 그 가방은 아무리 다른 뭔가를 넣어도 무겁지 않았다.

28 #

네가 골라놓은 당근을 먹었다

주황은 배고픔의 색깔이다. 사랑을 하고 싶은 사람, 사랑에 굶주린 사람, 사랑에 병든 사람이나 병적인 사랑을 하고 있는 사람은 그래서 주황이다. 주황은 마지막 소원의 색이기도 하다. 소원을 불에 태운다면 그 색이 주황이다.
사실 한번 옮겨붙으면 끄기 어려운 불과도 같다. 한 대상에게, 한 인간에게 몰입하면 몰입할수록 주황은 더 짙어지고 뿌리를 내린다.

어느 날, 당신을 위해 주황색 풍선을 사러 다닌다. 그 풍선을 있는 힘껏 불어 터뜨리고는 또다시 주황색 풍선을 집어 든다. 내 욕망은 부풀리고 부풀려도 터질 줄 모르는 풍선 같다.
당신은 등을 돌리고 창가에 서 있다. 긴 팔을 늘어뜨리고 창틀에 기대앉아 해바라기를 하고 있는 듯 보인다. 하지만 당신은 아무것도 하지 않은 채 오로지 나를 미워하고 있다. 내가 풍선 터뜨리는 소리에 조금씩 어깨를 움찔하기만 할 뿐. 나는 당신을 차지하고 있는 창틀을 떼어 내던지고 싶다.
그냥 당신을 질투함으로써 좋아하기로 한다. 당신의 아름다움이, 당신의 눈부심이 나를 그렇게 가난하게 한다. 사랑하면서도 이토록 가난한 것은 당신이 나를 미워하는 것보다도 무섭다.

파티용품 파는 가게로 달려가 주황색 풍선을 있는 대로 다 사서 바람을 넣어 온 집 안을 다 도배해도 결국 다음 날 아침이 되면 절반은 바람이 빠져버리고, 결국 남은 것들도 삼 일을 넘기지 못하고 사정없이 시든 국화다발처럼 돼버린다. 그 수많은 풍선들의 꼬라지들이 꼭 나 같다며 쉽게 이해해버리는 것도 참 잔인한 일이다.
문득, 아니 오래전부터 난 참 사랑을 못하는 사람이란 생각을 하곤 한다. 아무리 목숨을 걸어도 목숨이 걸어지지 않는, 일종의 그런 운명 같다. 이래서 사람이 안 되는 것도 같고 아무도 나를 사랑할 것 같지 않으며 사랑이 와도 바람만큼만 느끼는 것. 그래서 내 사랑은 혼자 하는 사랑이다. 사랑은 순례의 길과도 같아서 그 길을 통해 자기가 완성되어야 한다는 이기적인 속성이 있다. 아니 그 속성만 있다. 그 속성으로 구원받고자 함이 사랑이라면, 사랑한다는 말은 대단한 말이 아니라 구원받겠다는 말이다.
이를테면 함께 앉아 김밥을 먹다가 당신이 골라놓은 당근을 먹는 일. 잡채를 먹다가도 당신이 골라놓은 당근을 먹는 일. 그 일은 당신을 구해주는 일 같지만 나 자신을 구원하는 일과도 통한다. 타인을 돕는 것으로도 자신이 구원을 받을 수 있다고 인류는 오래전부터 믿어왔다.

미안. 그 사람의 얘기를 오래 끌어 미안.
네가 사랑에 빠졌다면 꿈틀꿈틀 가슴 한가운데, 뭔가 알지 못할 물기가 치밀어오르기도 할 것이다. 그것은 주황색으로 뭉글뭉글 심장 한가운데서 퍼져나가 너를 잠 못 이루게 하거나 너를 집에 돌아오지 못하게도 할 것이며 어쩌면 바람을 일으켜 우산을 뒤집을 수도 있을 것이다.
주황은 실제의 색이 아니라 차라리 정신적인 색이다.
주황은 독특한 에너지를 품고 있기도 해 소량의 독을 퍼뜨린다.
네가 사랑에 빠졌다면 너의 머리는 온통 이 주황색 물감으로 가득 찰 것이며 그 사랑에 빠진 네가 손을 뻗기만 하면 세상 모든 사물들이 주황으로 물들어버릴 것이다. 사랑이 시작됨과 동시에 방망이처럼 닥치는 색, 그 몸살의 색이다. 그 몸살을 이용해 허풍을 부풀리고, 단단히 과시를 부풀리고 또한 네 감정 모두를 끈적하게 포장하기도 할 테니 조심할 밖에. 이제 조금 알겠나. 우리가 얼마나 주황의 물감을 많이 사용하면서 사는지를.

29 #

조금만 더 내 옆에 있어달라고

나는 물들기 쉬운 사람.
많은 색깔에 물들었으며 많은 색깔을 버리기도 했다. 내 것인 듯하여 껴안았고 내 것이 아닌 것 같아 지워 없애거나, 곧 다른 색으로 이사가기도 했다.

나는 내가 가지고 사는 색깔도 많은 사람이라고 생각한다. 색을 취하는 태도에 있어서도 사치하는 편이어서 다소 주접스러우며 감정들은 시원하지도 크지도 못한 편이다.
많은 색을 가지고 있다는 이유로 다른 색을 거부하는 상태에 이르기도 한다. 오히려, 손아귀에 쥐고 있던 것을 놓았을 때 더 많은 걸 갖게 될지도 모른다는 본능이 무서워서 더 그러는지 모르겠다.
예전에는 그러질 못했지만, 얼마 전부터 술을 마시고 있는 촉촉한 나의 상태를 즐기게 되었다. 내가 술을 마시는 건 순전히 사람이 좋아서라고 생각했지만 사실 사람보다 더 믿을 수 있는 건 술이라는 생각이다. 술은 착하며 솔직하다. 확실히 인간보다는 그렇다. 술만큼 인간적인 물질도, 술만큼 인간을 더 인간적이게 하는 화학도 없다. 혼자서는 마시지 못하는 술 습관을 힘들게 고쳐, 혼자 앉아 술을 마시기 시작한 지 얼마 되지 않았다. 혼자 술을 마신 상태에서는 다른 색깔에 물들기 쉬운 상태가 된다. 그 상태처럼 평화로운 시간도 없다. 인간적이고 싶을 때 술을 찾는 솔직한 상태. 단언컨대 술은 마음에 몸에 색을 밀어올린다.
내가 지금 하고 있는 '혼자 술을 마시는 작업'은 내 색깔을 지우는 일이기도 하다. 너무 많은 색깔을 가지고 있었으므로, 너무 많은 색깔을 이해하려 했으므로, 고로 나는 시끄러웠으므로 나를 이루고 있는 색들을 쫓아내고보자는 셈인 것이다.
비닐하우스의 비닐 같은, 유리창에 달라붙은 습기나 증기 같은, 일단 내 목표는 당분간 무의미한 색을 띠자는 것이다. 하지만 이 심각하지 않은 작업은 곧 재미를 잃을 것이며 어떤 식으로든 나다운 색으로 되돌려질 것이란 것도 알고는 있다. 다시, 사람을 찾을 것이다.

당신이 좋다, 라는 말은 당신의 색깔이 좋다는 말이며, 당신의 색깔로 옮아가겠다는 말이다. 하지만 당신 색깔이 맘에 들지 않는다, 라는 말을 무의식적으로 했을 경우, 당신과 나는 어느 정도의 거리를 지켜야 하는 사이라는 사실과 내 전부를 보이지 않겠다는 결정을 동시에 통보하는 것이다.
색깔이 먼저인 적은 없다. 누군가가 싫어하는 색깔의 옷을 입고 있다고 해서 그를 무조건 싫어할 수 없듯이 서로가 서로의 마음에 어떤 색으로 비치느냐에 따라 내가 아무리 싫어하는 색깔의 옷을 입었더라도 그 기준은 희생될 수 있으며 보정될 수 있다. 사람이 사람을 만나는 데는 방향이 문제인 적은 있어도 색깔이 문제일 수는 없다(자주 방향과 색깔이 혼동되는 건 사실이다).
어떤 카페가 좋아 자주 드나들게 되었는데 알고 보니 카페 기둥에 흰색 페인트를, 화장실 문에 흰색 페인트를 칠해놓은 게 마음에 들었던 거다. 사실 그 색이 좋아 카페의 분위기가 좋고 심지어 커피맛도, 주인장의 얼굴까지도 좋다고 느낄 수 있는 것처럼 누군가를 좋아하는 일은 아주 사소한 부분들을 쌓아가는 것이다.

고로 당신이 좋다, 라는 말은 당신이 무슨 색인지 알고 싶다는 말이며 그 색깔을 나에게 조금이나마 나눠달라는 말이다. 그 색에 섞이겠다는 말이다. 좋아하는 사람에게 우리는 당신 목에 두른 스카프 색깔이 그게 뭐냐고 말하지 않는다.

한 여자를 알았다. 나는 그녀가 빨간색인 줄 알고 좋아했는데 그녀는 파란색이었다. 정반대의 색을 가지고 있어서 한순간 주춤 물러서기까지 했다. 그럴 경우, 내가 그쪽으로 옮겨가는 수밖에는 없었다. 하지만 얼마를 더 만났더니 그녀는 차라리 흰색이었다.

나는 그녀를 흰색으로 이해하기로 마음을 먹고 그녀에게 줄 흰 꽃을 준비했다. 흰 이 꽃이 당신을 닮은 거 같아서 샀다고 했다. 초여름날, 보리수꽃을 내밀면서 내가 뱉은 말은 내 감정의 전부이면서 진실이었다. 사랑하면 사랑할수록 대상은 색이 없어지고 오히려 지워져 창백해진다. 사랑스럽기 때문이다. 사랑의 감정으로 대상은 참을 수 없이 완벽해지기 때문이다.

오랫동안 나를 붙들고 있는 건 슬픔의 색깔이다. 슬픔으로 지금까지의 삶을 그나마 지탱해왔다면 이해가 쉬울까. 슬픔의 냄새와 슬픔의 더께가 가득 들어찬 내 마음은 그래서 뚱뚱하다. 아무리 생각해도 내 정체가 무엇인가를 따져보면 슬픔이 맞다. 약기운 같은 슬픔. 말갛고 탁한, 흰색에 가까운 액체를 뚝뚝 흘려 모으다가 어느 날 그것들을 치우고 그 자리를 말리는 일이 내가 사는 방식이었다면 당신은 이해가 쉬울까.

질기고 강렬하여 무쇠 같은 슬픔의 유전자를 가져서 모든 사물을 슬프게 읽고 슬프게 받아들이며 겨우겨우 아슬하게나마 슬픔으로 쌓아올린 몇 평의 세계 속에 살고 있는 것, 그것이 '나'라는 사람의 대부분이다. 그 슬픔이 어디서 왔는지는 모르겠다. 그 슬픔을 받아들인 적 없는데 어느새 스며든 그 슬픔이 한 사람을 정복하고 있는 것뿐. 슬픔이 있어서 나는 곤하지 않았고 외롭지도 않았고 유랑할 수 있었다.

흰 눈을 보면 전기가 왔다. 전기가 들어와 내 몸의 불은 켜지고 그러면 나는 슬픔의 벼랑으로 고꾸라져 떨어질 것 같은 상태가 되었다. 눈과 나는 무슨 인연이기에 가장 나를 나답게 해주는 것인지 나를 춤추게 하는지, 그렇게 나는 눈에 나를 굴리고 나서야 슬픔의 챔피언이 된다.

삶이 도저히 이대로는 안 되겠다고 생각될 때마다 어김없이 눈은 내렸고 그것은 기적이었다. 눈이 쌓이듯 슬픔이 차오르기 시작할 때마다 문득문득 살고 싶어졌으니 그것은 기적이었다.

그래서 나는 내 마음의 색, 슬픔에게 조금만 더 내 옆에 있어달라고 애원하는 것이다.

30 #

내가 세상에 달라붙어 있는 이유

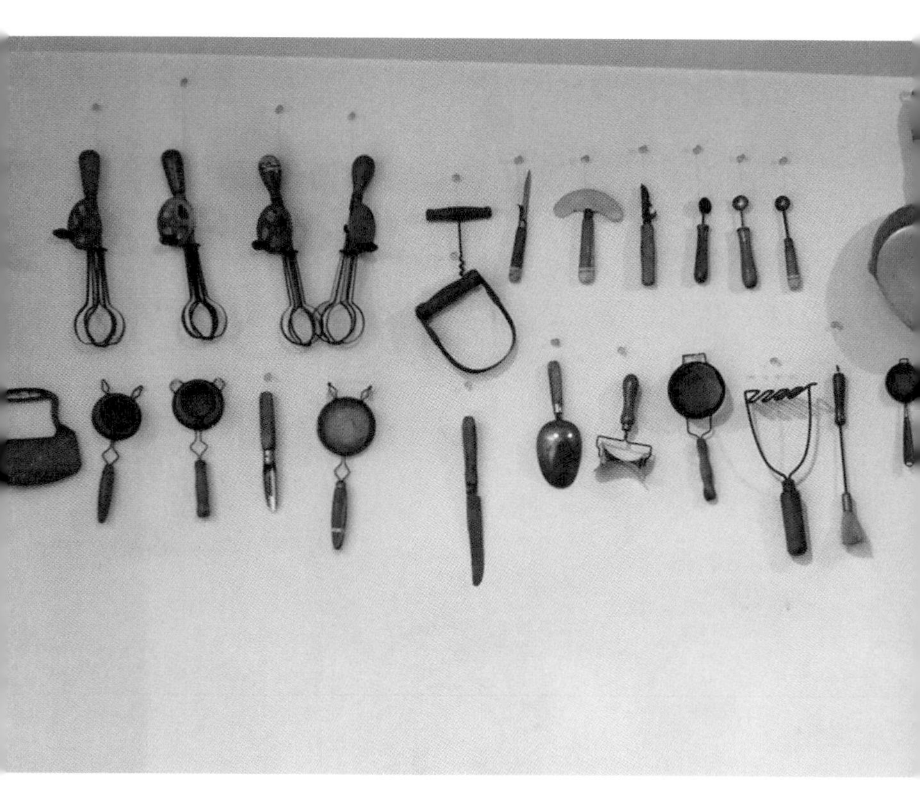

아무것도 하지 않아도 된다.

불행의 기준은 같지만 행복의 기준은 변질되어 있다. 그저그런 불행에 우린 죽지 않지만 그저그런 행복에조차 도달하지 않으면 우리는 불행하다. 우리는 죽는다.

높은 것, 아름다운 것, 벅찬 것, 기쁜 것, 영원한 것. 그것들을 모른 체하지 않으며, 그 방향으로 조금씩 조금씩 움직이는 사람에게 바퀴는 굴려진다. 아무것도 하지 않는 사람이 세상을 놀래킬 수는 없다.

아무도 나에 대해 기대하는 바가 없다면 그것은 이미 실패한 삶. 세상이 나를 등졌다고 생각하는 것 역시 충분히 망친 삶.

내가 하지 않았던 일들의 길고 긴 목록을 하나씩 지워나가면서 뭔가를 저지르기 시작한다면 사람들은 나를 향해 돌아설 것이다. 사람들은 나에게 친구가 되고 싶다고 말을 걸어올 것이다.

31 #

그 나라 말을 못해서

낯선 나라에 도착하자마자 제일 먼저 하게 되는 일은 성냥을 사는 일이다. 나는 뭔가가 타는 냄새가 좋아 자주 성냥을 사용하지만, 사실 그러면서 나에게 유목민의 피가 흐르고 있다는 사실을 알았다. 어디서든 불을 피워야 안심이 되고 안정이 되는 고약한 피.
낯선 나라에 도착하자마자 제일 먼저 배우게 되는 말은 '물水'인 것 같다. 그 다음은 '고맙다'라는 말. '물'은 나를 위한 말이고 '고맙다'라는 말은 누군가를 위한 말. 목말라서 죽을 것 같은 상태도 싫고 누군가와 눈빛도 나누지 않는 여행자가 되기는 싫다.

내게 '물'이라는 말과 '고맙다'라는 말은 서로 다르지 않은 의미의 말이다. 그 말을 배우는 순간, 그리고 그 말을 발음하고 소통되는 순간은 분명 여행의 시작지점을 짜릿하게 한다.
그토록 많은 나라들을 다니면서 많은 사람들과 수많은 이야기를 나눈 것은 돌아보면 실로 기적에 가까운 일인 것 같다. 도대체 그게 어떻게 가능했을지, 지금 생각해도 믿기지 않는다.
하지만 사람은 듣고 싶은 마음이 있을 때, 그 어떤 말도 들린다. 겨우 아는 몇 개 안 되는 단어를 동원하거나, 소통이 어려울까 마음을 다해 섬세한 몸짓으로 말을 걸면 거의 모든 사람들은 알아듣고 고개를 끄덕였다.

그 순간, 두 사람 사이에 마치 불꽃이 튀는 것 같다. 절대로 말이 통하지 않을 거라고 생각했던 사람의 마음의 문이 열리고 마침내 뜻밖의 말들이 섞인다.
우리가 누군가 한 사람을 알고 사랑하게 되는 것도 결국은 이 작은 불꽃에 의해서일 것이다. 그 작은 불꽃을 오래 꺼뜨리지 않는 일일 것이다.

이제 몸짓 언어의 벽은 넘은 것 같다. 그리고 이제는 정말 다른 나라 말을 잘하고 싶다. 사람 안으로 성큼성큼 들어가려면 통역 따위의 번거로움은 없어야 한다. 사랑도 마찬가지.

32 #

인연이네요

전철 역 앞에서 처음 본 두 사람이 만나 인사를 나누었다. 두 사람은, 첫눈에 봐도 아마 인터넷 같은 경로를 통해 서로 필요한 물건을 사고파는 사람들처럼 보였다. 그 둘은 잠깐 만나 인사를 하고 물건을 전달하고 곧바로 헤어졌다. 비록 짧게나마 그걸로 그들의 용무는 끝난 것이다. 그렇게 몸을 돌려 각자의 갈 길을 가던 두 사람…….

그때, 한 사람이 멈춰 서더니 고개를 돌려 멀어지는 한 사람의 뒷모습을 오래 쳐다보고 있었다. 그 사람의 얼굴에 어떤 여운 같은 것들이 가득 머물고 있었다. 해가 지기 시작하면서 가로등은 그림자를 만들기 시작하고, 그림자는 사람들을 만나게 하고, 사람들은 이야기를 만든다. 나는 어두워지고 있는 저녁 하늘을 보면서 뭐라고 혼자 중얼거리고 싶었으나 아무 말도 떠오르지 않았다. 그들은 그냥 한번 스치고 지나갈 뿐이었지만 한 사람은 마음속으로 한 사람의 스침을 기억하기로 한 것 같았다. 어쩌면 그것은 한 사람만의 입장이 아니라 두 사람 모두의 느낌이었는지도 모르겠다는 생각도 조금 들었다.

나는 중얼거리는 대신, 슬며시 그것을 '역驛의 효과'라 생각하기로 했다. 많은 만남과 스침이 있는 공간에서 간접적으로든 직접적으로든 경험하고 보아온 감정들이 자동적으로 연상되면서 사람들은 일정 부분 젖을 준비를 하는 것이다. 게다가 우리가 약해지는 저녁이질 않은가.

우리들은 사실 그렇게 생겨먹었다. 인연의 시작은, 그토록 어리숙하고 애매하게 첫 단추를 꿴다. 마치 첫 여행이 그런 것처럼.

별 기억이 아닌데도 한 사람의 기억으로 웃음이 날 때가 있다. 돌아보면 그렇게 웃을 일이 아닌데도 배를 잡고 뒹굴면서까지 웃게 되는 적이. 하지만 우리를 붙드는 건 그 웃음의 근원과 크기가 아니라, 그 세세한 기억이 아니라, 아직까지도 차곡차곡 남아 주변을 깊이 채우고 있는 그 평화롭고 화사한 기운이다. 인연의 성분은 그토록 구체적이지도 선명하지도 않은 것으로 묶여 있다. 그래서 나는 누군가가 좋아지면 왜 그러는지도 모르면서 저녁이 되면 어렵고, 밤이 되면 저리고, 그렇게 한 계절을, 한 사람을 앓는 것이다.

33 #

모두가 다 나의 것이 아니니 손아귀의 힘을 빼고

내가 누구의 것인지 모를 때가 있습니다. 내가 누구의 것이 되어 이리도 어렵게 몸과 마음을 사용하면서 사는지 가끔은 그 주인이 궁금해질 때가 있습니다. 그래서 급하게 날을 잡아 열차를 타고, 비행기를 타고 어딘가로 도착해 그곳에 뭔가를 묻어두고 다시 돌아옵니다.
묻어두는 것은 내가 가지고 있는 것들이 아닙니다. 내가 한 번도 가져본 적 없는, 내가 갖지 못한 것들입니다. 그것들을 묻고 묻어 작은 동산을 이루면 나는 그것들을 묻었다 하지 않고 가졌다 할 수 있을 것 같기 때문인지도 모릅니다. 아무도 모르게 뭔가를 묻어두는 일은 모두 결핍에서 옵니다. 묻어둔다고 생각하지만 결국은 숨겨두는 일이지요.
그래서 하루에 한 번쯤은 좋아하는 일을 하면서 살려고 합니다. 화분에 물을 주면서 식물의 키를 살펴보는 일, 창문밖 까치집을 올려다보며 안부를 묻는 일, 뜨거운 흰쌀밥에 마치 동물처럼 코를 묻고 킁킁대는 일. 그 모두가 나의 결핍을 어루만져주리라 확신하면서 말입니다.

어두운 밤이 되면 숲을 지나 강가에 다녀오는 이가 있습니다. 남프랑스 아비뇽에 살고 있고 이름은 안나라고 하지요. 깊은 밤, 그녀는 실오라기 하나도 걸치지 않은 채 숲을 지나 강에 도착해서는 다시 집으로 되돌아옵니다. 집 앞에 작은 강이 하나 흐르는데 이제 그녀가 걸어다니는 길은 풀도 자리를 비켜 작은 길이 나 있다고 했습니다. 그 습관이 열일곱 살 때부터라고 했으니 그녀가 서른이 되기까지 그 길은 그녀를 기른 셈이지요.
근사한 그녀의 밤길 산책은 지갑도 필요 없습니다. 보는 이도 없으니 옷 따위를 걸치지 않아도 됩니다. 눈을 감고 걷는 것과도 같은 밤길이니 익숙하기만 하면 됩니다. 그녀만의 자연의 품에 안겼다 돌아오는 방식입니다. 그녀는 맨살로만 자연이 들려주는 이야기를 다 들을 수 있다고 말합니다. 그러니 그녀가 부정하는 일들, 미워하는 일들은 세상에 없습니다. 그녀가 밤바람을 쐬는 이유가, 그것도 밤을 택한 이유가 처음에는 잠 잘 자기 위해서였다지요. 우리의 문화에도 거풍擧風이란 게 있다고 말했습니다. 습기로 무거워진 책을, 지친 몸과 마음을, 옷들을 바람 통하게 해 꿉꿉함과 불결함들을 새 판으로 바꿔놓게 합니다. 고개를 끄덕일 줄 알았던 그녀가 자신만의 '몽유의식'이라고 했습니다. 하루 한 번, 꿈속을 거닐 듯 자기 자신을 풀어놓아주는 일이라구요.
아, 고삐를 풀어놓고 몸에 모든 힘을 빼다니요. 그렇게 느즈러지다니요.

파리에서 남쪽으로 두 시간 정도를 달려 펼쳐지는 긴 강인 루아르loire 지역은 중세시대에 귀족들의 놀이터라고 불릴 정도로 고성들이 많은 곳입니다. 빛이 어찌 그리도 입체적이고 곱던지요. 그 빛이 닿은 자연의 얼굴들은 어찌 그리도 영롱하던지요. 빛은 자연을 불 질러 숲으로 번지게 했습니다. 어느 봄날, 그곳 일대를 여행하면서 인상주의가 어떻게 가능했는지를 알 수 있었습니다. 그걸 그리지 않고는 배겨낼 수 없었던 것은 사람이었습니다. 그걸 갖지 않고는 안 되는 것이 사람의 욕심이었습니다. 결국 인상주의자들은 풍경의 색채와 색조와 질감 모두를 고스란히 거머쥐게 됩니다.
프랑스 친구들과 엄청난 와인을 마시고 난 후, 객쩍은 혈기가 발동한 나는 안나의 '몽유의식'을 따라하기로 합니다. 자연의 품이 어떤 온도인지를 알려면 우선 옷부터 벗어야 했겠지요. 깊은 밤, 우리는 몰래 숙소를 빠져나와 어둠이 도착한 숲에 입장한 다음, 옷을 하나둘씩 벗어던지고 물가를 따라 걷기 시작합니다. 하지만 무엇이 두려운지 신발은 신은 채로 말입니다. 바람이 좋았습니다. 강변의 습도도 좋았습니다. 낄낄낄. 허투루 새어나오는 웃음을 참지 않고 내버려두어도 되었답니다.

그러니까, 인상주의 그림 속 주인공이 된 기분을 몸으로 즐기며 살짝살짝 발걸음을 떼어놓고 있을 때였지요. 어디선가 환한 불빛이 쳐들어왔습니다. 그 환한 불빛은 폭탄처럼 일방적인 거라서 우리는 그만 얼른 나무 하나씩을 차지하고 그 뒤로 숨어버리고 말았습니다.

빛이 쏟아져오는 방향으로부터 우렁찬 스피커 소리를 듣고서야 그 빛의 정체가 경찰차였다는 사실을 알게 되었습니다. '나무 뒤에 숨지 말고 손을 머리 위로 올린 채 걸어 나오라'는 말이 스피커를 통해 숲에 울려퍼졌습니다. 젠장. 우리는 한동안 어쩌지 못하고 망설이다가 그렇게 했습니다.

비보 경찰의 설명에 따르면 한밤중에 강변에서 수영하는 사람들이 늘고 있어 익사 단속을 하는 중이라고 했습니다.

하지만 나는 가끔 그럴 겁니다. 자연의 품에 전속력으로 달려가 안겨 산소호흡기를 꽂을 겁니다. 내가 누구의 것인지를 모를 때는 다시 태어난 듯한 착각을 하러 그리 할 겁니다.

모두가 다 나의 것이 아니니 손아귀의 힘을 빼고 말입니다.

34 #

조금은 바보 같아도 좋다

케냐 초원에는 '누'라는 동물이 산다. 주로 떼를 지어 서식하는 초식동물이다. 케냐 나이바샤의 크레센토 섬에서 사파리를 할 때였다. 사파리를 안내하면서 이런저런 동물들에 관해 이야기를 들려주던 레인저가 저 멀리 나무 뒤로 누가 나타나자 피식, 웃음을 참지 못했다. 왜 그러냐고 물었다.

"누, 쟤들 정말 웃겨서. 아무런 일도 없는데 어떨 때는 갑자기 전속력을 다해서 마구 달려. 그러다 엄청난 먼지를 일으키면서 갑자기 급정거를 하지. 무슨 큰일이 일어난 것처럼. 그러고는 자기 자리로 조용히 걸어서 돌아와. 그게 다야. 진짜 웃기지 않아?"

이 친구는 동물의 그런 행동을 보고 바보 같다, 멍청하다 하지만 그것도 자기만의 시간을 보내는 방법이 아닐까 한다. 자기만의 시간을 사용할 줄 아는 거라 생각하기로 한다.

열정을 다해서 끝까지 갔다가 제자리로 돌아오는 연습을 하면서, 전속력을 다해 하고 싶은 것 가까이 갔다가 아무 결과를 껴안지 못하고 되돌아오는 연습을 하면서 우리도 살고 있지 않은가. 오늘 하루도, 내일 하루도 아니 어쩌면 우린 영원히 그 연습을 하면서 살아야 할지 모른다.

나도 그를 따라 같이 웃기는 했지만 누가 내 모습과도 너무 꼭 닮은 것 같아 얼른 웃음의 꼬리를 잘랐다.

톰슨가젤 몇 마리가 우리 있는 쪽을 쳐다보았다.
자연은 거울이 되어 인간의 모습 구석구석을 비춰준다. 인간들이 그 모습들을 보려고 하지 않을 때 자연은 어떤 식으로든 신호를 보내고 손을 흔든다.
그곳에선 사람들을 통해 내 모습을 들여다보게 되는 순간순간들도 많았다. 한없는 순수를 닮은 그 사람들은 그냥 웃음으로만 넘겨서는 안 될 것 같은 무엇을 가지고 있었다.

한 사람은 열심히 사진을 찍고 있는 나에게 다가오더니 카메라를 가리키며 대뜸 물었다.
"그거 라디오야?"
나는 내가 잘못 들었나 싶어 다시 말해달라고 했다.
"그거 라디오냐구?"
나는 '카메라'라고 알려주었다. 그랬더니 그는 그런 말은 처음 들어보겠다는 얼굴과 당황하는 얼굴을 번갈아 보여주었다.
또 한 사람은 내가 메고 다니는 배낭의 브랜드를 힐끗 보더니 이렇게 말했다. "와, 너, 콜롬비아에서 왔구나." 나는 한국에서 왔고 이건 단지 가방 브랜드일 뿐이라고 했다. 안 그래도 '요즘 왜 이렇게 콜롬비아에서 온 여행자들이 많지?' 싶었다면서 그는 알려줘서 고맙다고 했다.
또 한 사람은 시장에서 기념품을 팔고 있는 가게 주인이었다. 그와 이런 저런 이야기를 오래 나누다가 손금의 생명선이 유난히 길어 보이기에 "참, 오래 살겠다" 했더니 확신에 찬 표정으로 이런다. "너, 의사구나!" 딸아이가 많이 아프니 자기 집에 가서 아이를 좀 봐달란다. 나는 그냥 책에서 본 것뿐이라고 얼버무리며 얼른 자리를 떴다.
그런 사람들을 만날 적마다 이상하게 속이 시원히 뚫리는 기분을 느꼈다. 한 점 티 없는 것은 찬물처럼 가슴을 씻어내준다. 진짜로 많은 것을 몰랐던 오래전의 나로 돌아가는 마음이 되면서 심장까지 맑아지고 순해졌다. 조금 안다고 뭐 그리 대수겠는가.
많이 아는 체하는 날들은 고개 숙이지 못하게 한다. 고개를 숙이지 못하면 남보다 먼지를 더 들이마시게 되고 그 먼지는 씻겨나가지 못하고 몸 안에서 굳어지고 딱딱해져서 생각과 함께 돌이 된다.
조금은 바보 같기로 한다. 눈을 감고 잠시만이라도 모르기로 한다.

35 #

어쩌면 이토록 아무것도 아닐 수 있는지

추운 바람 부는 겨울, 폴라로이드 카메라를 봅니다. 전자상가를 지나다 문득 보게 된 폴라로이드 카메라 앞에서 모두 지나갔다고 생각합니다. 세상에 하나밖에 없는 건, 당신이기도 했고 폴라로이드 사진이기도 했으며 또 우리 둘의 조합이기도 했습니다.
세상에 하나밖에 없는 바람을 적었었지요. 그 바람은 하나인 줄 알았는데 순식간에 하나가 아닌 여러 개가 되었지요. 이를테면 이런 식의 바람들.
당신도 나를 사랑했음 좋겠다. 당신이 나에게 기댔으면. 내가 당신을 얼마 전부터가 아닌 십 년 전부터 사랑했으면. 넘어져도 당신 앞이었음 좋겠다. 당신이 나에게, 내가 절대로 할 수 없는 일들을 해달라고 졸랐으면 좋겠다. 그래도 꼭 성공하라는 말은 안 했음 좋겠다. 당신이 좋다, 라고 하루에 스무 번씩 혼잣말하기. 당신이 좋아하는 고래를 보러 다시 함께 제주도에 가기. 서로를 떠났다 돌아오기. 나, 당신을 잊어도 당신을 사랑했음 좋겠다…….
그런 소망을 적어내려가다가 문득 아주 먼 곳으로 비행을 하고 있다는 기분이 들었지요. 목적지를 알 수 없으면서도 불안하기는커녕 그렇게 기분 좋은 비행일 수 있다니. 모두 당신 때문이었지요.
집으로 돌아와 책상 서랍을 다 뒤져 당신이 찍힌 폴라로이드 사진 한 장

을 찾아냈고 나는 나를 돌이켜 한 시절을 생각합니다. 그때도 오늘 같은 겨울이었고 집 앞에서 택시를 타려고 기다리던 때였지요. 눈발이 성큼성큼 우리 곁으로 몰려왔고 머리 위 철길로 불 밝힌 전철이 지나고 있었어요. 비현실적이며 잔인할 정도의 아름다움이 닥친 겁니다. 나는 허공에 대고 이렇게 중얼거렸습니다. 내가 당신을 사랑하는 만큼 눈이 내리고 있어. 그때 나는 당신 눈 속에 성큼성큼 들어선 눈보라를 보았습니다. 어찌할 바를 모르는 두 사람의 심장은 아마도 그 풍경을 오래 기억하겠다 다짐하고 있었겠지요.

우리 사랑은 눈을 기다리는 일처럼 맹목적이어서, 다른 일은 예감할 수 없었지요. 얼른 도망가야 하는데 무슨 일이 닥칠지를 모르고 그 자리를 지키고 선 채 느릿느릿 행동하는 사람들 같았지요. 그러다 무슨 일이라도 생기면 어쩌려구, 한 사람이 훌쩍 떠나버리거나, 서로와 상관없이 갑자기 한 사람이 죽도록 외로워한다거나 하면 어쩌려구 맨날 사랑만 하고 있었던 거지요.

그러다 우린 또 너무 많은 눈을 맞았지요. 그 폭설로 우리는 잡은 손을 놓았고 그렇게 갈라져 먼 곳으로 정반대 방향으로 걸어갔던 거지요.

헤어지는 순간 알았습니다. 당신과 한 번도 기차를 타보지 못했다는 사실을요. 당신과 시간을 많이 사용하지 못했다는 사실을요. 당신에게 많은 것을 받았지만 그 순간부터는 아무것도 가지고 있지 않다는 걸요. 우리가 죽어야 할 아무 이유 없이 언젠가는 죽음을 받아들여야 하는 일처럼 내 비행은 그렇게 끝이었습니다.

당신을 한 번 본 적이 있습니다. 당신과 내가 자주 갔던 극장에서였어요. 나는 많은 사람들과 같이 있었고 당신은 혼자였습니다. 혼자인 당신이 어떤 영화를 보러 왔는지 알려 하지 않았습니다. 아마도 당신을 지켜야겠다는 마음이 앞서서 그랬던 것 같습니다. 나는 많은 사람들과 한 줄로 극장에 앉았지만 영화를 보지 않았습니다. 내 머릿속에 가득 찬 '끝'이라는 말이 서러워서 눈을 감고 있었습니다. 대신 당신과 함께 속해 있는 이 건물이 무너지는 상상을 하면서 급기야 내 자신에게 놀라고 말았습니다. 왜 헤어짐의 상태에서는 사랑하지 않았던 거라고 믿게 하는지를, 사랑이 아니었다고 말하게 되는지를, 왜 헤어진 이후로는 정확하지 않은 것만 생각하게 되는지를 모르고 모르겠습니다.
정말로 우리는 아무것도 아니었는지를, 어쩌면 그토록 아무것도 아닐 수 있는지를 생각할 때마다 나는 버둥거립니다.
당신이 잘 지내고 있다면 나 지금부터라도 잘 지낼까 합니다. 그런데 나, 어떻게 잘 지낼 수 있을까요. 이렇게 못났고 마음도 엉망인데.

VYRŲ KIRPYK

OPTIKA

36 #

무조건

꼭 만나야 할 것 같은 사람이 있다. 꼭 만나게 될 것 같은 사람도 있다. 그 사람을 만나게 되는 상황도 있다. 어쩌면 그 사람을 만나 사랑하게 되는 경우까지도.

"루벤 곤잘레스를 찾아가려구요."
내가 그를 만나러 왔다고 했을 때, 그를 만나기 위해 몇 년을 준비해서 쿠바에 온 거라 말했을 때 사람들은 모두 피아노 치는 루벤 곤잘레스를 말하는 거냐며, 그를 도대체 어떻게 아느냐고 물었다. 나도 묻고 싶었다.
"정말 모두들 루벤 곤잘레스를 아는군요?"
사람들은 지도 한 장을 들고 땀에 흠뻑 젖은 채 어딘가를 향해 가는 나를 불러 세워 어딜 가느냐고 묻는다. 영화 〈부에나 비스타 소셜 클럽〉에 나오는 피아니스트 할아버지가 묻혀 있다는 묘지를 찾아가는 거라 말한다. 왜 그러냐 물으면 그의 음악을 좋아해서라고 간략하게만 말했다. 더 이상은 말을 할 수도 없었고 무엇보다 지쳐 있었다.
차를 타고 가면 안 될 것 같아 걸었다. 아바나에 도착해 그를 만나러 갈 때는 다른 교통수단을 이용하지 않고 무조건 걸어서 가겠다는 다짐 같은 게 있었다. 영화를 보고 난 직후, 그를 만나러 갈 땐 쉬운 길 말고 막연히 그래야만 할 거라 생각했었다.

뜨거운 태양은 그늘조차 허락하지 않는다. 묘지에 도착했으나 이번엔 비석과 비석의 간격이 너무 촘촘해 그의 묘를 찾는 일이 쉽지 않다. 이미 시들어빠진 장미꽃 한 송이를 들고 몇 년 전 죽은 쿠바의 피아니스트를 찾아왔다는 말에 게을러 보이는 묘지 경비가 내 손바닥에 위치를 그려준다. 축축한 손바닥이라 잘 그려지지도 않는다. 시든 장미를 흘끔 보더니 저쪽 수돗가에 가서 물을 받아다 꽂으라며 빈 물통 하나를 가져다준다.
마음이, 이건 아픈 게 아니라 체한 것 같다. 여행 준비를 하면서 이 할아버지가 세상을 떠났다는 소식을 알게 됐다. 이 할아버지와 만나 내가 잃어버린 것과 내가 이 모양인 것과 내가 사랑한 모두를 말하고 싶어서였다. 왠지 그 사람이어야 했고, 무조건 그 사람만이 고개를 끄덕일 수 있을 것 같은, 그렇게 나의 궁색한 이야기를 다 털어놓고 나는 이렇게 묻고만 싶었다.
"난 이렇게 살았는데 할아버지는요?"
태양의 방향에서 바람이 불어왔다. 뜨거운 바람이었다.
"왜 죽었어요? 죽는 게 뭐가 좋다고……."

살면서 모든 것을 털어놓아도 좋을 한 사람쯤 있어야 한다. 그 한 사람을 정하고 살아야 한다. 그 사람은 살면서 만나지기도 한다. 믿을 수 없지만 그렇게 된다.
삶은 일방통행이어선 안 된다. 루벤 곤잘레스처럼 우리는 세상을 떠날 때만 일방통행이어야 한다. 살아온 분량이 어느 정도 차오르면 그걸 탈탈 털어서 누군가에게 보여야 한다. 듣건 듣지 못하건 무슨 말인지 알아듣건 알아듣지 못하건 그것도 중요하지 않다. 무조건 다 털어놓을 한 사람.

STOCKMANN

37 #

당신이 소중하지 않은 건 아니었다

그 도시에 내린 순간부터 눈발을 만났다. 이곳에선 아무도 나를 반겨줄 사람이 없다는 사실 위로, 흰 눈은 펄펄 내려 쌓이고 있었다. 내가 할 수 있는 일이라곤 잠시 그 도시에 머무는 일과 만약 운이 좋다면 식당 일자리를 구해 어깨너머로 요리하는 것을 보는 일.

아는 이가 그곳에 도착하면 혹시 일을 할 수 있을지도 모르니 연락을 해보라고 일러준 곳으로 전화를 걸었다. 식당 주인이라며 전화를 받은 사람은 역에서 잠시 기다리라면서 차를 가지고 나올 거라고 했다. 그곳은 하루에 몇 번밖에는 버스가 다니지 않는 외진 곳이어서 그 방법뿐이라고 했다.

역사 창가에 앉아 하염없이 내리는 눈을 바라보며 흰색은 반성문 같다는 생각을 했다. 실제로는 적을 것이 없으면서도 마음으로, 눈으로 빼곡하게 적어내려갈 수 있을 것 같은 한 장의 거대한 백지. 사실 눈이 내려 쌓이는 세계는 도저히 닿을 수 없는 다음 생의 높이를 닮아 있기도 하다.

당분간 그곳에서 만나야 할 사람들을 상상했다. 말마따나 그렇게 외진 곳이라면 식당을 찾는 사람들은 소박한 사람들일 것만 같았다. 그 마을 분위기 역시도 소박할 거라는 기대를 하니 마음이 편해졌다.

두툼하게 수염을 기른 주인을 만나 낙엽 쌓인 길을 지나 마침내 식당에 도착했다. 식당 뒤편에 있는 야산을 넘으면 바다가 나온다고 했다.

오후 동안 생선의 투명한 비늘들을 털어내고 다듬어 저녁식사 준비를 마쳤지만 식당을 찾는 사람은 없었다. 구석에 켜놓은 텔레비전에서는 잘 알아들을 수 없는 작은 소리로 일기예보가 들려왔다.
며칠이 그렇게 갔다. 혼자 주방 뒷문에 앉아 무료한 만큼의 담배 연기를 만들었고 그 담배 연기가 가실 무렵 주인이 왔다. 멀지 않은 온천에서 항상 목욕을 하고 오는 주인은 냉장고에서 98% 알코올의 폴란드 산 보드카를 꺼내 한 잔씩 마시고는 뚜껑을 닫아 다시 냉장고에 넣는 일을 반복할 뿐 매사에 말수가 많은 사람이 아니었다. 다만 눈 치우는 일은 자신이 제일 좋아하는 일이니 눈을 치울 때는 혼자 하게 내버려두라고 했다.
그래도 눈을 바라보는 일만은 함께했다. 각자 창문 하나씩을 차지하고는 시간이 가는 줄도 모르게 눈을 바라보았다. 그곳은 그런 곳이었다. 눈을 바라보는 일만으로도 눈이 얼얼해지기에 충분했고 눈이라도 오지 않으면 아무 일도 일어날 것 같지 않은 곳이었다.

그러던 어느 날, 손님이 찾아왔다. 손님은 혼자였으며 여자였는데 그날 이후로도 자주 혼자서 식당에 왔다. 눈을 털고 앉아 뜨거운 국물에 데일 듯 얼굴을 묻었으며 식사를 마치면 한없이 배부른 눈으로 우리처럼 창밖에 내리는 눈을 바라보다 가는 사람이었다.
그녀는 정종을 주문할 때마다 넘치게 따라달라는 말을 잊지 않았다. 넘쳐흘러서 잔 받침이 출렁거릴 때까지 따라야 여자는 손으로 이제 됐다는 손짓을 하는 대신 손바닥의 절반을 사용해 테이블을 톡톡 쳤다.
그런 그녀가 어느 날은, 한 남자와 함께 왔다. 바람이 많이 불던 날 밤, 느지막한 시간이었다. 그녀가 종이 가방에서 와인을 꺼내며 마셔도 되느냐고 물었다. 나는 대답 대신 얼른 몸을 움직여 두 장의 개인 식탁보를 깔아주었다. 두 사람은 포도주를 나눠 먹는 동안 아주 작은 소리였지만 그래도 살짝긴 소리로 다투는 것 같았다. 그럴 때마다 식탁보 위에 와인이 튀었고 여자의 손에 의해 식탁보 한귀퉁이가 구겨졌다.
그들은 자정이 다 되어서야 일어났다. 나는 이미 구겨질 대로 구겨진, 몇 방울의 와인이 튄 식탁보를 접어 간직하기로 했다. 구겨진 곳을 손끝으로 펴다가 울컥, 뭔가 정신이 하나도 없어지면서 서글퍼졌다. 아니, 불안해지기 시작했다.

기다리는 사람을, 혹은 기다려도 오지 않은 사람을 기다렸다. 냉장고엔 재료가 가득 차 잘 닫히지 않았다. 찬 공기 속에서 시들해지거나 더욱 싱싱해지거나 하는 그 재료들도 나처럼 누군가를 기다리고 있었다.
식당 주인이 오늘은 나에게 요리를 해보라고 했다. 그 여자도 올 거라고 했다. 내가 너를 의식하고 있다는 걸 주인도 알고 있는 눈치였다.
수다를 좋아하지 않지만 너와의 수다는 필요했었다. 그 쏟아놓은 말로 내가 잘 살 수 있을 것 같았다면 넌 웃었을까.
그러니까 그날은 잘 벼린 칼과 잘 다듬은 푸른 야채와 잘 마른 나무 도마를 준비하고 있었다. 네가 많은 사람들을 데리고 온다는 사실을 알았으니까. 역시나 많은 사람들 속에 네가 섞여 있었다. 주인에게 회를 두껍게 썰어달라고 말했다. 차려놓을 땐 바닷내가 강한 소금을 내놓았다. 지독한 왼손잡이인 너를 위한 요리였다.
내가 최선을 다해 요리한 음식을 먹을 때마다 왼쪽 뺨에서 시작한 너의 미소가 오른쪽 뺨으로 번져갔다. 하지만 그뿐. 너의 이기적이며 이중적인 세계에 나는 들어갈 수 없었다.
네가 떠난 창가 자리에, 누군가 젓가락 커버를 접어 학 한 마리를 올려놓았다. 그것은 듬직하게 너의 빈자리를 지켰다. 산 너머의 바다가 소리를 내기 시작하는 것 같았는데 실은 창밖에 흰 눈이 내리는 거였다. 눈은 내

렸지만 내 가슴은 가시가 박혔는데도 터지지 않았다. 혹시 심장을 꺼내 볼 수 있다면 우리들 심장은 보라색이 아닐까? 우리들 가슴 안쪽에 든 멍이 모두 심장으로 몰려가서 보라가 되었다면.
사랑에 미쳐보지 않은 사람은 영원히 보라색을 볼 수 없을 거란 생각을 한다. 만약 누구든 그 찬란했던 기억을 보관할 수 있다면 그것이 고체이든 액체이든 혹은 기체일지라도 그것은 보랏빛일 거란 생각을 한다.

눈이 오면 밖을 향해 고개를 가져가면 되었고 손님이 오면 주인을 도와 정성껏 뭔가를 만들어 대령하면 되었지만 도무지 네가 오지 않는 건 황망한 노릇이었다.
내가 너를 기다리는 일은 잘못된 것이다. 그 잘못으로 하루 종일 서성이는 나는 물론이려니와 더군다나 영 개선될 여지를 보이지 않는 이곳의 갑갑한 기운들마저도 도저히 견딜 만한 것이 못 되었다. 나는 이제 어디로 가야 할까.
잠시, 하얀 기억을 살았다. 그것이 부끄러웠는지, 왜 감정이란 녀석이 그 모양이었던 것인지는 중요하지 않다. 그냥 충돌일 뿐. 아주 낯선 하나와 하나가 부딪혀 거대한 하양이 튀는 그저 충돌일 뿐. 빛을 먹어버려서 인화지 위에 새하얀 얼룩들만 쏟아놓은 사진들처럼 너를 그냥 휘발시켜버리면 그만이다. 하얗게, 하얗게. 어떤 사랑은 하얀색으로 기억된다. 그만두자고 돌아서는 마음이 하양을 만든다.
그녀를 한번 보았다. 그곳을 떠나야겠다고 모처럼 맘을 먹은 날, 밤이었다. 시내의 어두운 극장, 내가 앉은 자리 왼쪽 끝으로 그녀가 앉아 있었다. 영화의 맨 마지막 장면이 지워지고, 갑자기 환해진 빛 때문에 그녀의 옆얼굴을 볼 수 있었다. 옆에 앉아 있는 누군가의 얼굴을 보지 않으려 애를 썼다. 어차피 마지막은 마지막이었다. 그렇더라도 그 순간이, 그 장면이 소중하지 않은 건 아니었다.

55
34
21
13
8
5
3
2

ASSOC ITAL
CENTRO CVLT
DI FARMACIA

38 #

등대

어쩌면 우리 인생의 내비게이션은 한 사람의 등짝인지도 모릅니다.
좋은 친구, 아름다운 사람, 닮고 싶은 어떤 사람.
그리고 사랑하는 누군가의

등.

그걸 바라보고 사는 것만으로도 충분히 방향입니다.

39 #

당신한테 나는

당신한테 내가 어떤 사람이었으면 하는가요?

사람을 좋아하는 일은 그러네요. 내가 그 사람에게 어떻게 보이느냐의 '상태'를 자꾸자꾸 신경 쓰게 되는 것.

문득 갑자기 찾아오는 거드라구요. 가슴에 쿵 하고 돌 하나를 얹은 기분. 절대로 나는 그렇게 되리라고 생각한 적 없는데 그렇게 되는 거예요.

누군가가 마음에 들어와 있다는 건 전혀 예상하지 않았던 날씨처럼, 문득 기분이 달라지는 것. 갑자기 눈가가 뿌예지는 것. 아무것도 아닌 일에 지진 난 것처럼 흔들리는 것.

40 #

내가 타지 않아도 되는 비행기의 시간표들

가끔 기억하는 한 사람이 있다. 프랑크푸르트 공항에서 만난 나이 지긋한 이 할아버지는 비행기와 공항을 너무 좋아해 일주일에 두어 번 공항에 나와본다고 했다. 얼마나 좋아하면 산책길이 공항일까.

뭔가 헤매는 것 같아 보이는 나를 옆에 앉히더니 나에게 이런저런 것들을 알려준 분이었다. 특이한 건 그 할아버지는 작은 수첩을 가지고 있었는데 그 수첩에는 각종 공항 정보와 항공사 정보, 항공 상식 등이 적혀 있으며 심지어 간단한 외국어도 메모해두고 있었다. 사람들 사이를 산책하다가 뭔가 문제가 있어 보이는 사람이 보이면 도와준다고 했다. 아마도 떠나고 도착하는 사람들 곁에서 풍기는 묘한 바람의 냄새를 맡고 있는지도 몰랐다. 그는 자신이 좋아하는 무언가를 야금야금 속으로 녹이고 있었다. 어쩌면 사탕의 그것처럼 아주 진한 단맛이 나는지도 몰랐다. 나는 할아버지에게 엄지손가락을 치켜세우며 최고라고 했다.

사랑하는 것을 아끼는 방법에 대해 아는 사람이라는 생각이 들었다. 나도 비행기를 사랑하니까 나이 들면 그처럼 공항에 나가서 앉아 있어야겠다는 생각도 했다.

사방이 꽉 막힌 네모난 상자 속, 더 이상, 가까이 갈 수 없는 거리, 15센티밖에 안 되는 새장 속에 갇혀 지내서일까. 공항이라는 공간에 들어서면 이상한 감정이 생긴다. 그래서 우리들은 떠났다가 돌아오는 걸까.

차가운 공간을 데우는 은은한 불빛, 향긋한 음료의 향기, 사람 좋은 웃음소리 섞인 통화 내용들…… 내가 타지 않아도 되는 비행기의 시간표들, 제복을 입은 사람들이 만드는 속도의 물결, 떠나는 사람과 남겨지는 사람이 만들어내는 기층…… 굉장히 차가운 소재로 지어진 육중한 건물이지만 사실 엄청난 온도가 넘쳐나는 공항에는 버거워서 터져버릴 것 같은 감정이 흐르고 있다.

내가 목격했던 공항의 명장면은 한 남자와 한 여자가 아프게 헤어지는 장면이었다.
서로가 많은 말을 아끼던 두 사람은 마침내 헤어질 시간에 이른다. 남자는 게이트 안으로 들어가야 하고 여자는 홀로 남아야 한다. 둘은 길지도 짧지도 않은 포옹을 하면서 서로를 감싸 안았던 팔을 푼다. 자, 남자가 떠난다. 그리고 여자가 남겨진다.
나는 그것이 끝인 줄로만 알았다. 나도 게이트 쪽으로 들어가야 했으므로 그 둘을 오래 지켜볼 시간은 없었다. 그때 이미 꽤 많은 걸음을 뗀 남자가 갑자기 여자의 이름을 부르더니 오던 길로 뛰쳐나갔다. 남자가 두 개의 문을 지나, 그 문을 지키고 있던 여러 공항 직원들을 지나 여자를 향해 달려갔고 마침내 두 사람은 서로를 끌어안았다. 그리고 둘은 사람들의 시선과 상관없이 눈물을 쏟아내기 시작했다.
미처 사랑한다고 말하지 않은 사이 같았다. 사랑하는데 사랑한다고 말하면 안 되는 사이 같았다. 그도 아니면 헤어질 때가 되어서, 멀어지고 보니, 그것이 사랑인 줄 알게 된 사람들 같았다.
코끝이 찡해졌다. 다른 사람들도 그런 것 같았다.
처음엔 남자의 흐느끼는 소리가 크게 들리더니 이번엔 여자의 울음소리가 크게 들려왔다. 누구나 뒷모습을 가지고 있지만, 만난 지 얼마 안 된 사이라 그동안 볼 수 없었던 그 뒷모습을 봤기 때문이었을까. 헤어질 때 그 사람의 뒷모습을 보는 순간, 그것이 그 사람의 진짜 모습이란 사실을 알게 된 걸까.
정말이지 뒷모습은 사람을 힘들게 한다.

자신이 채워진 사람인지 아닌지를 알려면 공항에 가보면 된다. 공항에 앉아 미소 지을 일들이 떠오르거나 괜히 힘이 차오르는 사람이 있고, 한없이 자신이 초라해 보이거나 마음이 어두워지는 사람이 있을 것이다.
공항에 가지 않는 나에게 세상은 아무것도 보여줄 게 없다.
세상의 경계에 서보지 않은 나에게, 세상은 아무것도 가져다줄 게 없다.

BEN MEZRICH
STEPHEN HAWKING
paul thomas
sachar

41 #

여행가방에 무엇이 있나

나에게 여행가방에다 뭘 넣고 다니느냐 물으면 나는 시원한 대답을 하지 못한다. 대신 몽콕 야시장 노점식당에서 만난 영국인 앤드류의 여행가방이 그 누구의 여행가방보다 아름다웠다고만 머릿속으로 생각한다.
짐반 가지고 떠남은 띠남이 아니다. 최소한의 감성의 재료를 함께 가져간다면 그 어느 곳에도 새로운 인생의 조각들이 기다리고 있다는 사실을 알게 된다.
앤드류는 어느 날, 아버지의 사진첩을 보다가, 어머니를 저 세상으로 먼저 보내고 실의에 빠진 끝에 정신적인 공황을 어찌해보려고 아버지 혼자 먼 여행을 떠났었다는 사실을 뒤늦게 알게 된다.
어머니가 돌아가셨을 땐 어려서 잘 몰랐었지만 '아, 그때 아버지는 세상 누구보다도 힘들었구나' 하는 늦어버린 시간의 느낌을 만지게 된다. 그 목적지가 홍콩이었던 것이다. 그때 아버지가 떠났던 홍콩은 어떤 나라일까 앤드류는 상상했다.
일단 앤드류는 여행가방에다 아버지가 홍콩의 구석구석을 여행하면서 홀로 포즈를 취하고 찍은 사진들을 챙겨 담았다. 그리고 그걸 들고 홍콩에 와서는 사진의 배경이 된 곳들을 일일이 찾아다니며 아버지와 똑같은 포즈로 한 장 한 장 사진을 찍는다. 아버지처럼 똑같이, 혼자 삼각대를 놓고 말이다.

상상하는 것만으로도 벅차다. 나란히 놓이게 될 침사추이 거리 앞에 서 있는 아버지 사진과 앤드류의 사진은. 애버딘 항구에 서 있는, 그리고 피크 트램 앞에 서 있는 아버지 사진과 그의 사진은.
비록 따로따로이지만 이글이글 가슴 닳아오르는 여행이 아니겠는가.
아버지에게, 그리고 세상에 없는 어머니에게 가슴으로 사랑하는 마음을 전하는 방식은 어떤 의식 같았다. 멋지고도 성스러운 의식. 앤드류는 그냥 홍콩을 여행한 것이 아니라 자신의 인생 일부분과 손을 맞잡은 것이다. 휑한 빈자리에 사랑한 존재를 이식해 넣은 것이다.

내가 허기질 때 '배고프겠다'라는 누군가의 말보다, 식당에 같이 앉아 허기진 배를 채우려고 허겁지겁 먹고 있는 나에게 '배고팠지?'라고 건네는 말의 온도가 몇 배 더 뜨겁다고 믿는다. 그 말은 거의 가족에 가까운 사람들끼리나 할 수 있는 말이어서 그런 것 같다. 배고프다, 라는 말은 왠지 그냥 그렇게 아는 사이에선 편히 쓰지 않는 말이어서 그런지도 모르겠다.
촉촉해진 눈으로 이야기를 마치면서 허겁지겁 볶음국수를 먹고 있는 앤드류에게 하마터면 "배고팠지?"라는 말이, 그것도 한국말이 튀어나올 것 같았지만 그만두기로 했다. 그는 배고팠을 것이 분명하고, 그가 영국으로 돌아가 아버지를 만나게 되면 충분히 몇 번이고 들을 수 있는 말일 것이므로 나는 하지 않기로 했다.

Деснянські
зорі
24.00
ТОРТ
20.00

42 #

벨라루스 수도원, 낮 두시의 바람

밤 열시, 버스가 수도원 앞에 나를 내려놓았지만 짙은 어둠뿐이어서 그 어떤 방향도 가늠할 수 없다. 다시 한번 막 떠나려는 버스기사에게 여기가 수도원이 맞냐고 묻자 맞다고, 손목시계를 가리키며 얼른 뛰라는 시늉을 해 보인다. 그때 뛰지 않은 것이 수도원의 마지막 문을 닫아 걸게 하고 말았다는 것을 나중에 알았다.
이미 수도원의 문이 닫혔다는 생각은 하지도 못하고 근처의 모든 문들을 두드리기 시작한다. 그날따라 달빛도 없었다. 휴대전화의 불빛에 의지해 길과 건물과 어둠을 더듬거리기를 오래. 불빛이 보이는 집 문을 두드렸다. 성당 문은 닫혔을 시간이고 성당 뒤쪽으로 낡은 기차를 세워둔 곳이 있으니 거기서 하루를 묵고 내일 아침 일찍 수도원엘 들어가는 게 좋을 거라고 한다. 이 근처에는 여관도 없다는 말도 잊지 않는다. 시골보다도 시골이었다. 어쩜 이리도 불빛이 없을 수 있단 말인가.
그때 저쪽에서 누군가가 저벅저벅 걸어오는 소리가 들렸다. 소리의 울림이 어둠속이라 잔뜩 예민해진 기분을 자극시켰다. 그가 내 앞에 멈추었다. 나는 무서운 마음에 주머니에서 잡히는 성냥을 꺼내 성냥을 그었다. 서로 조금 놀랐다. 그가 나에게 뭐라고 말을 하고 있지만 말을 할 수 없는 장애를 가진 사람이었고 이미 술에 많이 취해 있었다. 나는 가까이 오지 말라고 그를 향해 뻣뻣하게 손을 휘저었지만 그는 저벅저벅 가까이

다가오고 나는 그의 말을 통 알아들을 수가 없다. 무서운 것은 당장 이 사람이 아니라 어둠이었다.
그럼에도 그는 계속해서 뭔가를 말하려 하고 있었다. 그의 손짓과 발짓은 점점 커지더니 마침내 절규했다. 배낭은 허리가 휠 것처럼 등 뒤에 매달려 있건만 참 길게도 포기하지 않으며 내 길을 막고 서 있다. 무슨 말을 하려는 걸까. 배낭만 아니면 뛰겠는데 그럴 수도 없다. 내가 몸을 돌리려 하면 내 배낭에 손을 얹어 길을 막았다. 다시 성냥을 그어 그를 쫓으려 해봤지만 성냥을 그을 때마다 불나방처럼 가까이 다가왔다. 시간이 오래되면 오래될수록 내 마음도 아프고 아프다. 한 사람은 한 사람에게 간절히 계속해서 뭐라 말을 하고 있고 또 한 사람은 그 말을 알아듣지를 못하고 손만 내젓고 있다.

어둠 속에 희미한 불빛이 새어나왔다. 기차가 맞았다. 낡았다는 것도 알 수 있었다. 기차 문을 두드리고 여행자 행색을 한 내가 잠잘 곳을 찾는 것처럼 보이자 잠을 청하려던 기차 안의 사람들이 술렁거리기 시작했다. 누군가의 전갈을 받았는지 잠시 후에 신부님이 왔다. 보다시피 부랑자들의 거처라고 했다. 불편하겠지만 오늘은 여기서 자라고 한다. 안 그래 보이겠지만 그래도 안전한 곳이라고 말하고 자리를 뜨는 신부님이 기차에서 묵고 있는 사람들에게 각별히 주의를 주는 것 같았다. 앉지도 서지도 못할 정도로 기차 안이 아수라장이라는 감지를 한다. 한겨울의 실내임에도 여러 안 좋은 냄새가 엉켜 있는 데다 마치 무슨 설치미술처럼 널어놓은 옷들과 비닐봉지들.
나에게 머물라고 허락한 자리 옆에 누워 쿨쿨 자고 있는 사람 얼굴엔 칼자국까지 나 있다. 덮으라고 준 담요를 깔고 침낭을 꺼내 누웠다. 그리고 얼른 아침이 오기를 기다렸다. 하지만 누워 있는 동안, 조금 전 어둔 길에서 만났던 심장을 움츠러들게 했던 그가 떠올랐다. 그의 절규, 그의 몸짓, 그가 원하는 것은, 그가 하고 싶었던 이야기는 무엇이었을까.

아직 해가 뜨지 않았는데도 사람들이 일어나기 시작했다. 기차 창밖으로 겨우 어스름이 느껴졌다. 모두 새벽 미사를 보러 가는 중이었다. 아침식사 시간에 수사님께 들은 이야기인데 사회적으로 재활이 필요한 사람들이 수도원의 일을 거들며 보호를 받고 있다고 했다. 지난밤 내가 머물렀던 기차가 수도원 담 바깥에 위치한 수용시설이라 했다.

그때 테이블 끝에 어려 보이는 한 청년이 식사를 마치고 물을 마시며 멀거니 앉아 있는 게 보였다. 허름해서 눈에 들어오는 그 청년을 보고 그가 왜 이곳에 와 있는지 수사님께 물었다. 청년은 이곳에 들어온 지 이 년이 조금 넘었다고 했다. 손재주가 좋아서 성당의 여러 일을 하고 있는데 지내고 있는 동안에도 며칠 동안 잠적을 하지 않으면 작은 사고들을 치고 있다고 한다. 가족도 무엇도, 희망조차도 없는 청년이라고 했다. 저렇게 어린 나이에 희망이 없다는 타인의 시선과 단정이 마음에 걸렸다.

무엇보다도 처음 그 청년에게 나이를 물었을 때, 청년의 짧은 두 마디가 오래 나를 붙들었다.

"스물두 살. 난 괜찮아……."

이 두 마디의 조합을 어떻게 이해해야 하는 걸까. 더 이상 자신에 대해 묻지 말라는 뜻일까. 스물두 살밖에 되지 않았으니 아직은 기회가 많다는 뜻일까. 그 이상한 시선을 얼른 거두라는 의미였을까.

나흘 동안을 그곳 수도원에서 지냈다. 모든 미사에 참석했으며 매끼를 얻어먹었으며 드넓은 수도원과 수도원 일대를 매일같이 순례했다. 수사님은 더 지내다 가라고 했지만 자꾸 모든 것에 정이 드는 걸 보니 이제 그곳도 떠날 시간이 되었나 싶었다.

다음 여정은 벨라루스 국경을 넘어 리투아니아에 있는 '십자가 무덤'엘 가는 것이었다. 누군가를 시작으로 사람들이 십자가를 하나둘씩 놓고 가면서 지금은 수억 개가 넘는 십자가들이 쌓여 있는 곳이라는 이야기를 친구에게서 들은 적이 있었다. 그곳에 가서 빌 것이 없었으나 그래도 빌고 올 것을 챙겨야 했다. 떠나는 날 아침, 식당에 앉아 있는 스물두 살의 청년을 보았다. 나는 식사를 마치고 나가는 그를 불러 내 앞에 앉혔다.

오늘 떠난다고, 여기서 얼마나 걸릴지 모르지만 리투아니아의 '십자가 무덤'으로 기도를 하러 갈 거라 했다. 기도를 담은 어떤 물건이라도 좋으니 '십자가의 무덤'에, 너의 기도와 함께 내려놓고 오겠다고 말했다. '나는 기도를 하면 어떤 식으로든 응답이 온다고 믿으면서 살고 있다'는 말도 빼놓지 않았다. 내가 물었다.

"나무든, 철사든, 종이든 십자가를 만들면 어떨까? 작아도 되고, 뭐 커도 되고……."

그가 몇 초 동안 생각하더니 그러겠다고 했다. 오후 두시에 수도원을 떠날 예정이니 식당 앞에서 만나자고 했다. 그가 십자가를 만들어 나에게 건네면 나는 그 청년의 기도와 그날 밤길에서 만난 그 알 수 없는 한 사내의 몫까지 모두 '십자가의 무덤'에 잘 맡기고 올 참이었다.

두시가 되었다. 청년은 나타나지 않았다. 낮게 바람이 불었다. 배웅을 하러 나온 수사님께 청년을 보고 가야 한다고 했더니 오지 않을 거라고 했다. 사람 말을 듣는 아이가 아니라고 말했다.

"혹시 많은 돈을 준다면 모르지. 십자가를 만들어서 나왔을지도."

만약 그 청년이 십자가를 만들어가지고 나온다면 아마도 기차표를 사주고 싶었던 것 같다. 기차가 다니는 곳까지는 꽤 멀어서 기차표를 어떻게 살 수 있을지는 모르겠지만 어떻게든 꼭 그러고만 싶었다. 어디든 멀리 갈 수 있는 기차표 한 장이 지금 당장 그 청년에게 잘 어울릴 것 같았다.

내가 느릿느릿 그 마을을 떠날 때까지도 그는 나타나지 않았다. 그가 나와의 약속을 어긴 것이 불편한 게 아니라, 그와 어울리지 않는 나의 일방적인 생각으로 그의 존재를 훼손시켰다는 기분이 들어 며칠이 괴로웠다.

LA PATACHE
LA PATACHE

43 #

높고 쓸쓸한 당신

몰타에 왔다. 어떻게 왔는지도 모르게 왔다. 딸깍, 내 손으로 호텔 방문을 잠그는 소리가 들리자마자 하염없이 눈물이 흐른다. 그냥 주룩주룩 흐른다. 하지만 착각이다. 흘릴 눈물도 없다는 듯 쏟아내질 못한다. 이토록 팽팽하면서도 터지지 않는 바닥난 몸의 상태가 문득 두렵다.
여기까지 잘 굴러온 트렁크의 바퀴를 더 이상 굴리고 싶지 않아서이기도 했으며, 창밖으로 파란 바다를 옆에 짊어지고 지친 듯이 뛰고 있는 노인의 희미한 움직임 때문이었는지도 모르겠다. 아니 어쩌면 나를 위해 한 치의 시간도 쓸 수 없었던 지난 삼사 개월의 시간들이 한꺼번에 터져버린 것인지도. 아니면 당신의 부재 때문인지도.

당신은 외로웠을까. 이른 새벽 강가를 걷는 당신 뒷모습을 좇으며 당신의 외로움이 어느 만큼인지 궁금했다. 걷다가 나무 아래 멈춰 서고 걷다가 다시 나무 아래 멈춰 서는 당신. 뼛속까지 외로웠을까. 그럴 때면 당신 마음은 어찌했을까. 그럴 때면 당신 마음은 당신 마음에게 잘해주었을까. 여행에서 돌아오는 길에 당신은 반지 하나를 사고 싶어했다. 그냥 손가락이 허전해서라고 했다. 반지 파는 상점에 들러 진주 반지를 들여다보던 당신이 말했다.
"진주는 외롭다는데……."

"선생님, 그러면 진주 말고 다른 거 하세요."

당신은 진주를 택했고 나는 가만히 옆을 지키고 있었다. 그러다 내가 참지 못하고 말했다.

"선생님, 그 반지 끼고 외로우면 어쩌시려구요?"

"외로운 게 뭐가 대수라고. 외로우면 좀 어때. 외로워봤자지."

그래, 외로워봤자다. 외로움은 다가 아니더라.

언젠가 당신에게 불쑥 물었다. 그런저런 말들이 지나간 후였다.

"선생님, 어떻게 사셨어요?"

많은 사람들, 당신이 살아온 시간들을 궁금해하는 사람들이 한 번쯤 묻고자 했을 그 고통의 날들과 관련하는 당신 남편과 당신의 아들…… 당신의 인생 전체에 대한 안부였다.

"견뎠지. 뭘 어떻게 살았겠어……."

부러 냉정하게 자신을 누르는 음성이었다. 아마득한 당신 세월은 이런 방식으로 눌린 채로 냉담히 아득히 굳었을 것이다.

건배할 때마다 당신이 자주 했던 말, 그 말도 그래서 생긴 말이었을까. 어쩌면 당신의 마음을 빗는 도구이기도 했던 그 말.

"즐겁게 살자."

고백하자면 나에게 그 말은 힘든 말이었다. 당신이 애써왔던 삶을 쏙 빼닮은 말 같아서였다. 당신 스스로에게 당부한 말이었으니 만약 그렇게라도 하지 않았다면 당신의 삶이 이토록 의연할 수 있었겠는가. 당신이 즐겁게 살자는 말의 의미는 분명하다. 어떠한 일이 있어도 고통의 반대편이어야 할 것. 이 삶의 그 어떤 작은 고통까지도 모두 지워내자는 것.

"만약에요. 다른 나라에 살게 된다면 선생님은 어느 나라에 살고 싶으세요?"

"항주杭州에 살고 싶어요."

"항주가 왜 좋아요?"
"물 있고, 사람 있고…… 따뜻하잖아."
항주는 고즈넉하고 평화롭다. 속도도 느리고 단조롭다. 게다가 시적이기까지 해서 유난히 젊은 여행자들의 인적이 드물다. 하지만 당신 일생에 있어 그곳처럼 진하고 찬란한 '자리'는 없는 듯했다. 봄마다 항주이야기를 꺼내실 정도였으니, 항주에서 며칠 지내는 중에도 항주이야기를 하실 정도였으니.
"제가 항주 좋은 거 알려면 아직 멀었겠죠?"
"하지만 언젠가 병률이도 알게 되겠지."
젊은 사람들은 모른다. 쉬운 것은 겨우 알 수 있을지라도 어려운 것은 모른다. 어쩌면 쉬운 것도 어려운 것도 자기 소관이 아니므로, 모르고 있는 것조차 모른다. 당신을 겹벚꽃 나무 아래 서시라 해놓고 사진을 찍는다. 그랬다. 왜 꽃 옆에서 찍은 사진을 그토록 오래 옆에 두고 보면서, 당신이 많이 웃곤 했는지를 나는 아직 모른다.

항주와 상해, 그 중간에 위치한 수상마을 우쩐烏鎭에 들러 하루를 묵었을 때 햇살이 좋은 물가에 당신과 내가 나란히 앉았다. 그때 가방에 든 것이 생각났다. 지난밤 항주 식당에서 마시다 남은 중국술 반 병이 배낭에 들어 있었는데 아무리 한낮이라고는 해도 멋진 경치 앞에서라면 어울릴 것 같았다. 술병을 꺼내 당신에게 먼저 건넸다. 술잔이 없었지만 술잔이 없어도 될 만큼 그 자리는 충분했다. 얼마 남지 않은 양이었지만 몇 모금만으로도 충분히 취기가 몰려왔다. 취기에 기대어 당신과 나는 많이 웃었던 것 같다. 그때 멀리서 우리를 오래 지켜보고 있던 중국인 일가족이 우리 앞에 서더니 말했다.
"이 사람 효자네, 효자야."
나를 당신의 아들로 본다는 사실이 재미있어 이 말을 당신에게 통역했다.

"세상에서 제일 아름다운 풍경은 노모를 데리고 아름다운 경치 있는 데를 여행하는 것이지. 요즘 그런 사람이 세상에 어디 있겠나?"
당신의 입가에 푸지게, 함박꽃이 피었다. 나는 그 순간 당신의 아들이 되었다는 사실만으로도 가슴이 마구 뛰었다. 그랬으면, 아들이었으면. 그리하여 당신이 가지를 붙들어 조금은 든든했으면. 내가 당신에게 오래 그토록 그랬으면.

그해는 당신의 팔순이었다. 선물을 사기 위해 며칠을 망설였지만 적당한 선물을 고르지 못했다. 삼청동 어느 가게를 지나다 목걸이를 골랐다. 모양은 진주였으나 당신이 샀던 것처럼 진짜는 아니었다. 진주는 외롭다지만, 가짜 진주는 외롭지 않을 거라는 장난스러운 생각으로 포장을 부탁했다.
"선생님, 참 잘 어울리세요. 근데 글쎄, 저는 그게 진짜 같아 보이는데 진짜가 아니라네요. 진짜가 아닌 것 선물해드려서 죄송해요."
당신이 말한다.
"결혼식 올리는 것도 아닌데 진짜 아니면 어때요?"
12월 초, 긴 여행에서 돌아와 당신을 찾았을 적에도 당신은 내가 온다는 사실을 까맣게 잊고 있었다. 투병 중이었다. 병을 앓는다는 것은 그랬다. 주변에 눈길을 줄 수 없는. 동유럽 수도원에서 지낸 이야기들을 들려드리고 싶어 약속을 잡은 거였는데 당신 집에 들어서니 약속을 놓치고 있던 당신이 화들짝 놀랐다. 약속을 잊고 계실 정도로 힘드시구나 하는 생각에 나 역시 많이 놀랐지만 당신이 자꾸 미안해하는 바람에 나는 조금만 앉아 있다가 얼른 물러나 돌아왔다. 수도원에서 당신을 위해 드렸던 간절한 기도와 상관없이 아차 싶게도 당신은 아프고 있었다. 휑한 겨울 마당을 한 바퀴 둘러보며 나오는 길. 아, 모든 것이 금방 물러갔으면 했다.

"엽서가 너무 이뻤어. 엽서가 너무 이뻐서 자꾸 들여다보고 읽고 그랬어. 병률이 어디 있는지 지도도 들여다보고 그랬어."

여러 수도원에 다녀온 이야기를 들려드리는데 당신은 나중에 같이 가보고 싶다고 말한다. 이야기를 하는 사이, 여행을 하며 보낸 엽서가 한 장이 아니라 두 장이라고 말씀드렸더니 "그럼 엽서가 또 오는 중이겠네. 그럼 그것도 기다려야겠네" 하셨다.

이제, 당신은 아이 같다. 하지만 당신이 두 번째 엽서를 받기는 한 것인지 당신이 그리 물리도록 누워 지낸 병실을 다시 찾았을 때도 그것을 물을 기회는 없었다.

당신은 치료를 끝마치지 못하고 여전히 병원에 있었다. 성탄이어서 당신을 뵈러 병실에 간 거였다. 나의 기도는 짧지 않았으므로 오래 당신 손을 잡고 있었다. 당신이 봄이 되면 어디 먼 곳을 다녀오자고 했다. 옆에서 당신의 딸들은 너무 먼 데는 안 된다고 했지만 그래도 아주 먼 곳이어야겠다고 당신은 힘주어 말했다. 다시 항주를 찾게 될 거란 예감도, 어쩌면 시코쿠의 나오시마에 가게 될 거란 들뜸도 스쳤다. 분명 봄과 함께일 거였다.

그 시간 고통이었겠으나 당신의 혈색은 나쁘지 않았다. 선생님 안색, 지금 아주 좋아 보인다고 칭찬드렸다. 좋아지는 중이었으니, 봄을 기다리는 중이었으니 당신의 얼굴빛은 봄의 편이었을 것이다. 한 치의 의심도 없는 성탄이었다.

당신이 황망히 떠나고 당신의 빈집을 찾았을 때 당신은 없었다. 당신의 집에 당신의 표정이 없는 것은 처음이었다. 당신이 없으니 당신의 집이 벼랑에 매달려 있는 것 같았다. 마당에서 따낸 많은 살구로 잼을 만들었다며 가져가라 내밀 것 같고, 마당에 조팝나무 꽃이 피었냐며 전화를 걸면 좋은 꽃 다 지기 전에 한번 다녀가라고 당부할 것 같다. 그런데 당신은 거짓말 같다.

당신이 없는데 '나라'가 없어졌다. 당신이 떠났는데 내 신발 모두가 사라졌다. 당신은 우리와 이별한 것이 아니라 그저 전화가 고장난 것이다. 잠시 연락이 어려운 것이다. 멀리 한번 던진 공을 잃은 것이며 여행가방을 잃어버린 것이다. 사랑이 아려서 사랑이 저물어 이별한 것도 아니다. 당신은 곧 저 먼 곳 반환점을 돌아 도착할 것 같다. 그리고 기운이 조금 더 남았다는 듯 한번 더 큰 원을 그리고 달려와 "나, 잘했지?" 할 것 같다.

당신, 여행가방을 찾아 돌아올 때는 길을 잃지 말기를. 당신, 잠시 거짓말이었다며 얼른 우리 앞에 나타나기를.

그래도 당신에게 하나만 묻겠다. 이 벌판에서 당신은 도대체 얼마나 외로웠던가. 마당에 풀 번지듯 번지는 외로움이었을까. 탁해진 눈가를 닦을 때에도 컴컴하게 쳐들어오는 외로움이었을까. 그 외로움에는 그래도 단맛이 섞였을까. 그래서 당신은 나에게 그런 말을 했던가.

"외롭지 않으면 또 무엇으로 살아요?"

당신은 그 외로움의 힘으로 가장 멀리 가겠다는 것인가. 훨훨, 당신이 가고자 했던 곳들을 당신은 지독히 밟으며 다닐런가. 어쩌면 우리는 그곳에서 외로움의 힘으로 마주쳐 그렇게 술 한잔 나눌런가.

19

44 #

어느 저녁 무렵의 국경 역

모두에게는 쉬어갈 곳이 필요합니다. 어느 한 시간, 푹 젖어 있는 마음을 말리거나 세상의 어지러운 속도를 잠시 꽉 잡아매두기 위해서는 그래야 합니다. 하루를 정리하는 어느 시간의 모퉁이에서 잠시만이라도 앉아 있을 수 있다면 그곳은 천국이겠지요. 천국 별거 있나요.
들뜬 기분들을 차분히 누를 수 있다면, 얹힌 기분들을 잠시 정리할 수 있다면 그곳이 어느 곳이든 무조건 잠시 앉아 있어야 한다는 생각입니다.
그루지아에서 아제르바이잔으로 넘어가는 밤 기차가 잠시 멈춰 선 국경의 역이 그런 곳입니다. 여행자들의 여권과 짐 검사가 이뤄지는 시간은 매일 오후 여섯시 이십분. 한 시간가량 기차가 정차하는 동안, 지루하기도 하고, 심심하다 싶기도 한 시간을 견디기 위해선 기차 안에 타고 있는 모든 사람들은 바깥을 내다보는 방법밖에는 없다는 걸 잘 알고 있습니다. 그래봤자 정말 별스런 풍경이랄 것도 없는 바깥입니다.
그때 보았습니다. 하나둘 마을 사람들이 느릿느릿 몰려들기 시작했습니다. 아무 할 일 없는 사람들이 아주 편한 차림으로 하나둘 역에 나와 기차를 마주 보고 앉기 시작했습니다. 기차가 스크린이라도 된 것처럼 한 줄로 말입니다. 몸이 불편한 할아버지도, 코밑이 거뭇거뭇한 동네 청년들도, 아이를 등에 업은 새댁도, 그리고 동네의 개들과 고양이까지도.
처음엔 기차 주변으로 사람들이 몰려드는 이유를 몰랐습니다. 헌데 기차가 멈춰 섰다 가는 동안 참견할 대상을 만나러 나오는 겁니다. 마을이 고요한 시간으로 접어들기 전, 마실을 나와 눈길 줄 것들과 마주 앉아 있다 돌아가는 겁니다. 외롭기 때문일 겁니다.
사실 국경에서는 크고 작은 일들이 벌어지기 마련입니다. 평화롭다면 한없이 평화로울 수도 있지만 나라와 나라 사이의 친밀함 정도가 딱히 좋지 않다면 이런저런 자질구레한 일들이 있을 수밖에 없으니까요. 마을 사람들은 자그마한 소요나 자그마한 지나침들을 보기 위해 역에 나와서는, 저녁 바람과 함께 국경의 역에서 생기는 드라마들을 봅니다.
기차를 마주 보고 앉아 있는 사람들과 이야기를 나누는 승객들도 있었고 기차에서 슬쩍 내려 작은 가게에 가서 음료수를 사오는 승객들도 보였습니다. 아주머니 둘은 수박 한 통을 가져와 쩍 가른 후 나눠 먹기 시작합니다. 지나가던 국경의 군인들이 한 조각씩 얻어먹으며 뭐라 농을 건네기도 하네요. 그 모든 사소한 움직임들이 기꺼이 서로에게 시간을 내주고 있었습니다.
고요한 마을에 하루 한 번 기차가 들어오는 시간은 그 마을 사람들에게 시장 골목이고 작은 극장이며 나무 그늘입니다. 그 시간은 맛있는 풍경을 나눠 먹는 저녁식사 시간입니다.
나는 아제르바이잔으로 향하는 것을 다음 언젠가로 미루고 국경 마을에 하루 이틀 정도 머물러 있고 싶어졌습니다. 왠지 이 마을 사람들은 수프를 끓이고 빵을 잘라 식탁에 앉은 다음 '어제는 어디까지 이야기했지?' 하면서 느릿느릿 미처 마치지 못한 어제의 이야기들을 이어갈 것만 같습니다. 늦게 해가 지고 늦게 해가 뜨더라도 그 모든 것들이 아무렇지 않을 사람들이 사는 마을. 그 국경 마을을 뒤로 하고 기차는 떠납니다.
아, 그루지아의 의미가 이 나라 말로 따뜻하다는 뜻이라지요.
내가 타고 있던 칸에 그 국경 마을에서 올라탄 여인네가 앉습니다. 안 그래도 여인네는 친정 부모의 배웅을 받으며 펑펑 울고 있었습니다. 여자는 모스크바까지 간답니다. 비행기 멀미가 심해 기차로 사박오일을 가야 한답니다. 기차가 그 마을을 떠난 지 한참이 되었을 때 여자가 어느 정도 슬픔을 정리했는지 주섬주섬 보자기를 풀었습니다. 어머니가 싸준 보자기 안에는 통통한 바구니가 있었는데, 바구니 덮개를 열자 밤 열차에서 먹으라고 삶은 닭 한 마리가 통째로 모셔져 있습니다. 이번엔 내 눈가에 물기가 스쳤습니다. 아마도 사람 사는 문제는 이처럼 온기와 깊숙이 관련되어 있겠지요. 이 마을은 백 년이 지나도 자신들만의 속도와 온도를 유지하면서 살 것만 같은데, 내가 여행에서 돌아가 만나야 할 사람들은 이 이야기를 들어나줄런지요.
잠시 스친 느림보 마을, 그곳에 내려 잠시 머물다 오지 못한 것을 후회하고 있습니다.

45 #

여행을 가서 토끼를 기르겠다고 토끼를 샀다

토끼를 사고 말았다. 파리에서 한 달 동안 집을 빌려 살 거라면서 토끼라니. 저녁 무렵 어딘가를 갔다가 다리를 건너 집으로 돌아오는 것을 좋아하는 나라는 사람. 그거면 되었다. 센 강변에 집을 얻었으니 그거면 되지 않았는가.
매일 산책을 오가는 길목에 있는 애완동물 시장에서 몇 번 자신을 타일렀지만 결국엔 그렇게 하고 말았다. 토끼를 샀다. 외로울 것이었다. 깊은 밤이면 멀거니 잠 못 이루고 창문을 활짝 열고 어둠을 향해 한숨을 지을 것이 뻔했다.
늘 그랬듯이 나는 봄만 되면 초록을 보러 재래시장을 어슬렁거리며, 새벽 기찻길에 나서기도 하며, 그 어떤 간절함으로 방랑을 떠올린다. 특히 봄 무렵의 방랑은 내장을 파고들 정도로 간절해서 결국 원점으로 돌아오다가 이유 없이 참담하고 슬픈 구석에다 나를 처박는다. 눈부신 초록으로의, 내 안에 회로처럼 엉켜 있는 밀림으로의 방랑. 그 앓이마저 없다면 나는 살고 있지 않은 게 된다.
태어난 지 삼 개월 된 토끼는 진한 회색이었다. 고급스런 털을 가지고 있었지만 그리 눈에 띄진 않았다. 토끼를 사고 사료를 사면서 당근도 조금 샀다. 이름을 '삼개월'이라 지을 수 없어 '삼월'이라고 지었다.
한 달 빌린 남의 집이었으나 나갈 때 깔끔하게 치워준다면야 토끼를 기

르면서 큰 문제가 될 것 같지는 않았다. 더군다나 특별한 소리를 내는 동물도 아니니 이웃에게 피해를 줄 일도 없었다.
마룻바닥에 종이 상자를 펴서 깔고, 트렁크 하나와 배낭 하나를 막아 적당한 넓이의 공간을 마련해주었다. 며칠은 그 안에서 잘 지내는 듯싶었다. 며칠 후 트렁크를 뛰어넘었다. 뛰어나왔다가 구석구석을 다니며 놀다가 다시 트렁크를 뛰어넘어 자기 자리로 들어가기도 했다. 엄청난 발육을 보였다. 손에 잡히던 삼월이는 손에 잡힐 새도 없이 몸이 빨라졌다.

문제는, 삼월이가 무척이나 외롭다는 생각에 빠졌다는 것이다. 나도 별반 다르지 않았으니 삼월이도 그럴 것이었으며, 그러니 내가 잡으려 해도 잡히지 않는 거라 생각했다. 결국 나는 두 번째 토끼를 또 사고 말았다. 말도 안 되게 이번에 산 토끼는 수놈이었다. 좋아하는 11월이 다가오고 있었으므로 이름은 자동적으로 '십일월'이라고 지었다. 처음 대면한 둘은 황당해했으며 이윽고 경계를 했고 사나흘 동안이나 따로 처박혀 지내는 듯하더니 같은 구석 자리를 쓰기 시작했다. 아무 일도 없었다. 그들이 무슨 일을 벌이기엔 너무 어렸다. 한 집에서 샀으니 어쩌면 남매이거나 같은 족보일지도. 하지만 그 모든 것들과 아무 상관 없이 모쪼록 그들이 외롭지 않게 잘 어울리기를 바랐다.
하는 일 없이 동물 파는 시장에 자꾸 산책을 간 결과, 토끼가 두 마리가 되었다. 둘은 장애물이 있으면 어떤 높이라도 거의 날아다니다시피 했고 애써 잡아 책상 위로 올려놓으면 한 평도 되지 않는 책상에서 백 미터 달리기를 하다가 떨어지기도 했다.
그러던 어느 날, 전화를 거는데 전화가 먹통이었다. 이빨이 더 나려고 잇몸이 가려웠는지 전화선을 갉아먹은 거였다. "너희들이 끊어놔서 전화가 안 되잖아!" 한 손으로 두 마리의 토끼 귀를 잡아 내 눈높이만큼 올린 다음 야단을 쳤다. 한 마리는 눈을 꿈뻑거렸고 한 마리는 몸부림을 쳤다.

이미 노트북 케이블도 이빨 자국이 나 있었다. 집 안의 모든 케이블을 감추었다. 그랬더니 이번엔 벽지 밑부분을 계속 갉아댔다. 갉아대다가 벽지 끄트머리가 잡히면 그걸 이로 물고 뒤로 벌렁 나자빠지는 놀이에 빠진 녀석들 때문에 벽의 맨살이 점점 더 고약하게 드러났다. 화분에서 잘 자라고 있던 튤립의 모가지가 댕강하는가 하면 마룻바닥에 뒹굴던 와인 코르크는 먹어버렸는지 자취도 없이 사라졌다. 책상 다리도 이빨을 밀어 넣으려 했는지 가까이 보면 토끼 이빨 자국이 선명했다. 정말 인간하고는 정반대 개념에 있는 동물이 토끼 같았다.

그래, 너희들끼리 잘 해봐라. 나는 그들에게 진정 잘 해주고 싶었으므로 그래 잘 해봐라, 했다. 나는 시 쓰기에 열중했다. 며칠 동안 잡히지 않는 시의 끄덩이를 물고 놓지 않겠다는 일념으로 당근 따위를 씹어 먹으며 지내던 어느 날, 뭔가가 내 발등에 올려졌다. 따뜻한 무엇이었다. 몰캉한 무엇이었다.

의자 아래를 보니 삼월이었다. 내 발등에 자기 발 하나를 올려놓은 채 나를 가만히 올려다보았다. 나는 왜 그러냐고 묻고 싶어졌지만 순간 알았다. 뜨겁고 화끈한 것이 이마를 훑고 지나더니 등 쪽에서 엄청난 스파크가 일었다. 시를 쓰겠다고 며칠 동안 몰두하는 사이, 아무것도 먹을 것을 챙겨주지 않았다는 것을. 그게 며칠이 지났는지 기억나지도 않았다.

사료 봉지를 찾았으나 그제야 며칠 전 마지막으로 털어준 기억이 났다. 당근은 이미 내가 다 먹고 없었다. 시력을 다해 뛰었다. 마켓에서 허겁지겁 당근을 계산하는데 여전히 내 발등 위로 토끼의 체온이 얼얼하게 느껴졌다.

DEFENSA DE L
REVOLUCION
ZONA No.
VIVA EL 4
ANIVERS

46 #

아주 푸른 밤

당신이 맘에 든다. 내가 누군가를 맘에 들어한다는 것은 푸른 바다 밑, 심연 속으로 당신을 끌어내리고 싶어한다는 것. 그러면 당신은 눈을 뜨고 나를 보는지 아니면 두려움에 아무것도 보지 못하고 눈을 감고 마는지 실험하고 싶은 것. 그러니까 다시 밀해 고속도로에서 속력을 내면서 옆자리에 앉은 당신에게 키스를 하고자 했을 때 당신이 나를 따라 눈을 감는지 아니면 두려워 정면을 보고 있는지 알고 싶은 거다.

칠레에서 서른 시간 정도 버스를 타고 달려야 했다. 목적지에 도착하지도 않아 버스 안에서 죽겠구나 싶었지만 대여섯 시간을 잠으로 흘려보낸 뒤 문득 올려다본 파란 밤하늘 덕분에 일순간 모든 것이 괜찮아졌다. 빈 옆자리의 의자도 내가 앉은 의자처럼 뒤로 눕힌 다음 몸을 비스듬히 눕혀 밤하늘을 올려다보았다. 밤하늘의 별을 세며 끝나지 않을 것 같은 밤하늘의 푸르름을 싫증날 정도로 노려보고 있자니 어느 순간 이마가 시큰해질 정도의 슬픔이 찾아왔다. 아름다움은 슬픔을 부른다. 유난히 눈부신 아름다움은 밤에 더 빛난다.
나는 무엇 때문에 가고 있는가. 무엇을 따라가고는 있는가. 복잡한 여러 생각으로 더 울컥해지는데 뒷자리에서 낮고 두터운 목소리가 들려왔다.
— 시처럼 멋진 밤이야.

잘못 알아들은 것도 같고 나더러 들으라는 말로도 들려 뒤를 돌아보았다. 노인이 씨익 웃고 있었다. 어쩌면, 노인이 들고 있던 포도주 병을 보지 못했더라면 그냥 그렇고 그런 소리쯤으로 여겼을지도 모른다. 나는 주섬주섬 가방 앞주머니에서 빈 콜라 병을 꺼내 나에게도 조금만 포도주를 나눠줄 수 있겠느냐고 물었다.

— 이토록 좋은 밤인데 뭐가 문제겠는가.

서로가 아닌, 푸른 밤하늘에 대고 건배를 했다. 각자의 가장 깊숙한 그 무언가에 대고 그렇게 당분간은 푸르겠다고 맹세를 하는 사람들 같았다. 아무리 세상이 변해도 여전히 인간적인 것들은 아름다운 것이고 그것만이 세상을 이끌어갈 거라고, 나는 그 밤을 내 몸에 새기기로 했다.

47 #

사랑도 여행이다

내 삶의 몇 번쯤, 노란색 꽃이 피었다. 얼마쯤 피었다 거침없이 졌다. 개나리처럼 피었다 져버린 자리는 서러웠다. 다시는 나를 물들이지 못할 것만 같은 노랑이, 저 멀리로 사라져갈 때 나는 다시 가뭄이었다. 그리고 그 길에 쓸쓸한, 아주 쓸쓸한 뭔가가 내려 쌓여 덮였다. 봄눈이었다.
인생의 환한 한때를 돌이키는 일은 무모하거나 부질없는 일일 것이므로 나는 봄이 되면 또 한 번의 쾌활한 노랑이 도착하기를 기다린다. 아주 우연일 것이므로 아주 난감하게 닥쳐와도 상관없다. 인생에 몇 번 찾아올 큰길을 무한질주하려면 중앙선을 기꺼이 넘을 준비가 돼 있으니.

당신은, 나에게 해바라기를 건네준 날을 기억하지 못할 것이다. 기차 창밖으로 해바라기 밭이 끝도 없이 이어지고 있을 때 내 손을 잡아끌며 "여기서 내리자!"라고 소리쳤던 것을. 기쁨이 손까지 전달되어 기차표를 해바라기 밭에 내던져버렸던 것도.
이제 그 기억은 내가 상관할 일이 아닌 때가 되었다 해도 난 그 기억만으로 가끔 힘이 난다. 나는 이 세계가 당신과 나로 가득 차 있다고 믿었으며 적어도 그것만으로 충분하다고 믿었으니.
기차역을 등지고 해바라기 숲으로 내달을 때 당신 몸을 빠져나온 웃음소리,

당신의 머리카락을 스쳤던 바람의 질감까지도

어쩌면 그토록 진할 수 있었는지 하마터면 털썩 주저앉고 싶었다고 이제 말할 수 있을 것 같다. 그때, 우리 흥취만으로도 해바라기 숲을 갈아엎고도 남음이 있을 것 같진 않았던가. 두 인간에게 찾아온 광란의 상당 부분을 다 쓰고 난 뒤 어지러워했던 그날 이후, 그 언제에도 그토록 노란색을 사무치게 부볐던 적이 있었던가. 고마운 것이다. 그 시간에 같이 있을 수 있었으니. 다 끌어안고도 이토록 남는 것들이 있으니.

노란색 포스트잇에 '밥 꼭 챙겨 먹어요'라든가 '내일 오후에 잠깐 들를게요'라고 써서 냉장고에 붙였던 글자들을 어느 날 하루아침에 '이제 그만할래요'라고 바꾸고 잠적해버린들 그것이 그만둘 수 있는, 버릴 수 있는 마음이던가. 그만두겠다고 하는 순간부터 멀어져도, 헤어져도, 보이지 않아도 사랑은 여전히 사랑이질 않은가. 사랑이어서 일어난 그 많은 일들을 단번에 지울 수 있을 거라 생각하는가.

사는 데 있어 그 무엇보다 중요한 것은 사랑의 가치를 세대로 아는 것이지만 그것을 알기에 사랑은 얼마나 보이지 않으며 얼마나 만질 수 없으며 또 얼마나 지나치는가. 보지 못하고 만지지 못하고 지나치는 한 사랑은 없다. 당장 오지 않는 것은 영원히 오지 않는 이치다. 당장 없는 것은 영원히 없을 수도 있으므로.
그렇더라도 사랑이 없다고 말하지는 말라. 사랑은 없는 것이 아니라 사랑을 불안해하기 때문에 그렇게 말하고 믿으려는 것이다. 사랑은 변하는 것이 아니라, 익숙해지는 걸 못 견뎌하는 것이다. 사랑이 변했다, 고 믿는 건 익숙함조차 오래 유지할 수 없음을 인정하는 것뿐이다. 사랑은 있다. 사랑이 없다면 세상도 없는 것이며 나도 이 세상에 오지 않은 것이며 결국 살고 있는 것도 아니질 않은가.
그렇다고 사랑만이 제일이라고 생각하지도 말라. 사랑은 한다고 해서 다가 아니라 사랑할 때의 행복을 밖으로 제대로 드러낼 수 있는 상태가 사람을 키운다. 애써 채우는 것이 아니라 자연스럽게 넘치는 상태만이 사랑이기 때문이다.

사랑으로 하여금 인간을 어려운 일에 빠지게 하는 일, 그것은 신이 하는 일이다. 그 어려움으로 하여 인간을 자라게 하는 것이 신이 존재하는 구실이기 때문이다. 인간은 사랑이라는 어려운 고통을 겪어야만 행복으로 건너갈 자격을 얻는다.
신이 어떠한 장난을 친대도 사랑을 피할 길은 없다. 그냥도 오고 닥치기도 하는 것이고 누구 말대로 교통사고처럼도 오는 것이다. 사랑은, 신이 보내는 신호다. 사람은 떠나도 사랑은 남게 한다. 그것도 신이 하는 일이다. 죽도록 죽을 것 같아도 사랑은 남아 사람을 살게 한다.
그래, 사랑을 하자. 사랑을 하더라도 옆에 없는 사람처럼 사랑하자. 옆에 없는 사람처럼 사랑하는 일, 그것은 사랑의 끝이다. 완성이다.
인간적으로 우리 사랑을 하자. 인간의 모든 여행은 사랑을 여행하는 것이다. 사람은 사랑 안에서 여행하게 되어 있다. 사랑을 떠났다가 사랑으로 돌아오게 되어 있다.
사랑은 삶도 전부도 아니다. 사랑은 여행이다.
사랑은 여행일 때만 삶에서 유효하다.

GAMES
94 USEFUL BAZAAR 94

&
SORBETS

48 #

하루 한 번쯤

처음 영화관에 가본 것처럼 어두워져라.
굶아버린 연필심처럼 하루 한 번쯤 가벼워라.
하루 한 번쯤, 보냈다는데 오지 않은 그 사람의 편지처럼 울어라.
다시 태어난다 해도 당신밖에는 없을 것처럼 좋아해라.

누구도 이기지 마라, 누구도 넘어뜨리지 마라.
하루 한 번 문신을 지워낼 듯이 힘을 들여 안 좋은 일을 지워라.
양팔이 넘칠 것처럼 하루 한 번 다 가져라, 세상 모두 내 것인 양 행동하라.

하루 한 번쯤
움직이지 말고 가만히 앉으라, 내가 못하는 것들을 펼쳐놓아라.
먼지가 되어 바닥에 있어보라.
하루에 한 번 겨울 텐트에서 두 손으로 감싼 국물처럼 따듯하라.

어머니가 내 뒷모습을 바라보는 만큼 애틋하라.
하루 한 번 내 자신이 귀하다고 느껴라.
좋은 것을 바라지 말고 원하는 것을 바라라.
옆에 없는 것처럼 그 한 사람을 크게 사랑하라.

49 #

마음이 아니라서 다행이야

— 거기에 누가 손 잡아줄 이가 있나요.

요리하고 글 쓰는 선배와 문자를 주고받다가 문자 한 줄에 괜히 또 심줄이 끊어질 듯 아프다. 몸살이 심한데 복통까지 겹쳤다. 가방에 든 비상약이 꽤 되건만 꼬박 이틀 동안 챙겨 먹어도 낫질 않는다. 몸이 안 좋다는 말은 안 했지만, 선배는 또 먼 곳에 있다는 내게 '혼자서라도 씩씩하게 잘 다녀라' 보낸 문자일 수도 있는데 내 몸은 계속 풀썩 꺼진다.

— 언제는 나에게 손 잡아줄 사람 있었겠습니까?

라고 까칠한 문자를 하려다

— 손 말고 모가지 묶어줄 사람 구합니다.

라고 허튼 문자를 하려다

— 네, 어떻게든 구해야지요.

라고 쓸쓸히, 안간힘을 보태 문자를 보낸다. 그런 문자를 보내고 나니 만약 손 잡아줄 이를 구하게 된다면 아픈 몸이 괜찮아질 것 같기도 하다.

집에서 지낼 때보다 아플 확률은 더 높다.
바깥에 있어서 소나기를 만날 확률도 높고, 나를 묶어둘 그 무엇이 없어 아예 이 세상에 존재하지 않는 사람이 될 확률은 더 높다.
저녁에는 소프라노의 독창회에 갔다가 중간 쉬는 시간에 도망치듯 극장을 빠져나와버렸다. 소프라노가 높은 음으로 관객들을 주무를 때마다 옆구리의 통증이 더 심해서였다. 돌아오는 길은 추웠고, 주머니에 찔러 넣은 손은 시리다 못해 화상을 입은 부위처럼 무감각했다.
불도 켜지 않은 채 곧바로 침대 위로 쓰러지면서 생각했다.
손이 문제구나. 그놈의 손이…….
그리고 또 생각했다. 마음이 아니라서 얼마나 다행이냐구.

50 #

리가에서의 금식 일기

금식을 하기로 한다. 그러면 뭔가 다른 일이 벌어질 것만 같다. 몇 시간을 할 수 있을지 모르지만 어쨌든 시작.

열 시간이 조금 넘었다. 배고픈 건 아직까지 괜찮은데 목이 너무 마르다. 원래 이런 건가. 맥주 한 병은 괜찮겠지.

열두 시간째, 금식. 다른 국면은 와줄까. 다른 국면은 뭘까. 머리가 가벼워지는 건 괜찮지만 정신이 비관적으로 되면 어쩌지?

낮인데도 긴 잠을 잤다. 기운이 제로라 걷기가 힘들다. 나갔다가 금방 돌아와 침대 생활을 한다. 손만 뻗으면 물이 있고 노트북이 있고 책이 있다. 몸에서 나쁜 냄새가 나는 것 같다. 금식 열일곱 시간.

거리에서 음식 냄새가 입체적으로 맡아지더니 난데없는 짜증이 솟구쳤다. 허리가 새우등처럼 구부러지는 느낌과 함께 그래도 고비를 넘겼다.

스물아홉 시간. 김치찌개를 생각함. 전골 같은 뭔가 진한 국물도. 누워만 있어도 시간이 꽤 잘 간다. 죽음하고는 아무 상관도 없는 금식 체험이지만 언젠가 죽고 싶을 때는 잘 죽을 수 있을 것도 같다. 뭔 소리. 뇌 속에서 흰밥 냄새가 풍겨온다.

머리가 너무 맑다. 쨍쨍한 날씨가 머릿속에 퍼지고 있다. 여전히 기운은 하나도 없다. 머리가 맑은 것은 좋은데 예민해진다. 책을 읽으면 단어 하나하나가 살아서 춤을 춘다. 글이 솟아나는 것 같아 모니터 앞에 앉는다. 글이 자꾸 뚝뚝 끊어진다. 이것도 환각인가.

서른네 시간을 먹지 않으며 내린 금식의 정의.
금식 : 나를 여행할 때 준비하는 진지한 도시락.

몸이 잘 가눠지지 않는다. 이를테면 나는 자꾸 나가고 싶은데 나가면 들어오고 싶다. 나는 충분히 몇 시간째 누워만 있는데 자꾸 누워 있고만 싶다.

평소 콜라를 마시지 않는데 물 대신 콜라를 사서 반 캔. 그새 몸이 착해졌는지 어느새 취한다. 계속되는 환미幻味.

마흔여덟 시간만 채우고 뭣 좀 먹자. 마흔 시간 이십여 분 경과. 새벽 네 시에 문득 깨어 화장실에 다녀오는 길에 부피가 줄어든 몸을 본다. 얼른 거울을 본다. 이제 겨우 시인의 얼굴이 되었군.

난 먹지 않았을 뿐인데 모두 버린 느낌이다. 비운 게 아니라 모두 버린. 배고프단 감각은 사라진 지 오래이고 먹겠다는, 먹고 싶다는 의식만 또렷하다. 횟집 수족관의 물고기들이 이랬겠구나. 이제는 바람에도 영혼이 흔들리는 것 같다고 쓰자니, 영혼은커녕 흔들릴 기운마저 제로.

51 #

그날의 분위기

나에게 좋은 친구가 생긴다면 센다이에서 한 번 간 적이 있는 그 술집에 다시 가고 싶다. 나는 그 술집에 여러 사람들과 함께 있었다. 선배 작가와 함께 취재를 마친 어느 저녁이었고 도호쿠 대학의 식구들과 어울리는 화기애애한 술자리였다. 우리가 들어설 때는 평일의 일곱시쯤이었는데 손톱을 막 깎은 뒤의 정돈미랄까. 그런 것이 실내에 가득했다.
내가 앉았던 자리가 즐겁지 않은 건 아니었지만 자꾸 바깥이 신경 쓰였다. 우리가 들어가 앉아 있던 맨 구석 다다미방보다는 사람들이 앉아 있는 홀 쪽에 앉아 술을 한잔했으면 싶어서였다.
아마도 여러 사람들과 여행을 한 경험이 많지 않은 나로서는 술 몇 잔을 마시고, 본성이 발동해 혼자인 상태를 그리워한 거였겠지만 자꾸 그쪽이 신경 쓰여서였을까.
나는 어느덧 바깥 홀에 혼자 앉아 잘 알지도 못하는 안주를 시키고 정종 같은 것을 홀짝거리고 있는 나와 술을 마시고 있다는 기분을 놓지 않았다. 비록 따로였지만 기분만으로 그렇게 있을 수 있었다.

굳이 설명하자면 일본의 여느 술집 분위기인 것은 맞는데 살짝 남국의 느낌이 더해졌다고나 할까. 아니면 대만이나 홍콩의 편한 술집 분위기라고 해도 좋을 훌륭한 세트장의 인상이었다. 오래된 광고 포스터도 걸려

있었고, 등받이 없는 의자 여러 개와 나무 탁자가 일곱 개쯤, 비어 있어도 좋고 사람으로 가득 채워도 좋을 홀의 넓이, 그리고 한 켠으로 다다미방 서너 개쯤. 일부러 번화가의 바깥은 내다볼 수 없게 막아놓은 듯했지만 그래서 아늑한 곳.
의미하는 것이 있는지 어쩐지 간판은 〈수〉라고 적혀 있었는데 그것도 가타가나 표기로 〈ス〉라고만 되어 있고 그 글자 바깥에 동그라미를 쳐놓았다. 그 심플한 로고 옆에 두 줄의 글씨는 그곳이 심상치 않은 곳임을 추측하게 했다.

그 글씨는 : 등록상표, 복제엄금.

나에게 좋은 친구가 생긴다면 그곳에 가서 술 한산을 크게 사고 싶다.
그렇게 취해서는 상표가 시키는 대로 그 기억을 어딘가에 '등록'할 것이고 '복제'하지 못하도록 어딘가에 꽁꽁 숨겨두어야 할 것이다(아, 며칠 후 그 마땅한 곳을 만나고 말았으니 그곳의 이야기를 조금 해야겠다).

그 친구와 잘 지내게 된다면 그 며칠 후엔 일본의 북알프스 산에 오르고 싶다. 같은 기간 센다이에서의 취재를 마치고 바쇼의 기행 흔적을 따라 북쪽으로 올라갈 일이 있었는데, 그때 무심결에 기차 바깥으로 보이는 산의 모습에 나는 그만 신음했나. 그 산은 낭상이라도 나더러 뛰어내리라 외치고 있었지만 혼자가 아니었고 일정은 남았기에 그대로 기차 안에 갇혀 있어야 했다.
이름으로만 들었던 그 산의 이름은 '북알프스'. 삼천 미터가 넘는다는 그 산을 본 것은 처음이었고 산과 눈이 마주치는 순간, 나는 떠들려 끌려가고 있었다. 기차는 산이 있는 쪽이 아닌 다른 방향으로 향하고 있지만 자석처럼, 나는 그 산에 체포되어가고 있었다. 그만큼의 거리에서 몇 단계의 각도로 전개되는 그 산을 볼 수 있다는 건 대단한 황홀이었다. 나는 내 감정이 터지거나 흘리거나 찢어져버려 무슨 소리라도 낼까봐 거의 입을 막은 상태였다. 수십 킬로미터도 더 떨어진 그 먼 곳에서 본 산이 내게 그토록 강렬했다면 정말로 한 번쯤 올라야 하지 않을까.

언젠가 다시 가야 할 곳이 있어서 다행이다. 여행은 직진하는 것도 아니고, 백 미터 달리기처럼 백 미터를 다 왔다고 멈춰 서는 것도 아니라서 다음을 기약할 수도 있으니 다행이다.

그때까지 내게 아무도, 생기지 않을지도 모른다. 괜찮다. 오래 그리워했던 것을 찾아 나서기에는 언제나처럼 혼자여도 좋겠다. 다만 겨울이면 좋겠다.

눈이 많이 내려 그곳에 갇혀도 좋겠다.

52 #

한 사람 때문에 힘이 다 빠져나갔을 때

나, 어디 가면 좋을까?
어디가 좋았어요?
거긴 뭐가 좋은가요?
이런 질문들을 받을 때마다 먼저 난 '어디를 가고 싶으냐' '원래부터 가고 싶었던 곳이 어디냐'고 묻는 편이다. 그동안 가고 싶어했던 곳이 결국은 그 사람을 여행하게 한다. 그것이 여행의 시작이 되고, 비행기값보다 더 값나가는 무엇이 된다.
마음에 품었던 어느 한 곳으로 몸을 옮겨 가는 건 결국 마음도 함께 따라가게 되는 거라는, 아주 단순한 개똥여행철학을 가지고 사는 편이다.
J라는 여자 후배가 있다. 그 후배도 어딘가를 여행하고 싶다면서 어디가 좋은지를 나에게 물었다. 내가 어디에 가고 싶은지 되물었더니 그녀는 터키에 가고 싶다고 했다. 터키가 어떤가. 가고 싶으면 가는 것이고 가고 싶었기 때문에 그곳은 세상 어디보다도 좋을 확률이 더 높지 않겠는가.
후배는 결국 여행지를 터키로 정했다.
슬쩍 터키를 여행한 내 경험들을 들려주었고 빼먹지 말고 보고 올 것들에 대해 이야기를 해주었다. 그리고 또 더 떠들었다.
"워낙 그곳 사회가 남성 중심 사회라서 답답하다는 느낌을 받을 거야. 그래도 아랍국가들 중에서는 개방적이라 여성들이 살기는 괜찮지만 그래

도 여자 여행자 혼자라면, 재미를 찾기엔 한계가 많은 곳이지. 거기가 좀 맞지 않는 것 같다 싶으면 그리스 가는 항공권이 아주 싸니까 여행 기간 반을 잘라서 그리스 가는 비행기 표를 끊어. 아테네는 대충 유적 위주로 보고, 여러 섬들을 여행하는 거지. 섬들을 여행하면서 착하고 좋은 남자도 만나서 연애도 해. 생각해봐라. 섬마을에 사는 그 순수한 사람들을. 그 사람들이 먼 나라에서 온 여자아이한테 얼마나 진심으로 대하겠어? 그리스 남자들이 말을 걸어오면 바보처럼 도망다니지 말고 차도 마시고 밥도 먹고, 알았지? 그리고 마음에 든다 싶으면 그냥 거기 쭈욱 있으면 돼. 여기 돌아오지 않아도 된다고. 알겠나?"

J는 터키로 떠났고 얼마 안 되어 다른 후배를 통해 그녀가 그리스의 어느 섬에 있다는 이야기를 전해 들었다. 진심으로 부러웠다. 한 달여 만에 J는 여행에서 돌아왔고, 나는 직접이 아니라 역시나 다른 후배를 통해 그녀가 앓고 있다는 소식을 들었다.

그녀가 다시 그리스로 가겠다고 했다는 것이다.

나는 내가 했던 말이 떠올랐고 그놈의 직감인지 예감인지 참 방정이네, 하면서 J가 어떤 사랑을 하고 있다는 생각으로 마음으로나마 축하를 보냈다. 그리고 그녀가 떠나는 날이 정해졌는지, 이미 떠났는지도 모르면서 전화를 걸었다.

"다시 가게 되었다니 정말 좋은 여행을 했나보군. 이번에도 한 달짜리 항공권을 끊은 건 아니지? 마음 내키는 대로 많이 저지르고 와. 나중에 후회 없을 정도로. 알았나?"

말을 아끼는 것 같은 J는 길지 않은 통화가 끝날 즈음 약간 울먹이는 것 같았다. 나는 모른 체했으며 그 모든 것이 현실로 돼버린 게 미안하지 않았다.

사랑을 하러 가는구나 싶었다. 돌아왔지만 돌아온 것이 아니라 잠시 사랑하는 사람에게 줄 선물을 가지러 왔구나 싶었다. 그녀가 그 사람과 그 사람의 가족들과 행복한 한때를 보내고 왔으면 싶었다. 순간일 수도 있지만 영원일 수도 있는 것이고, 영원도 어느 한순간 토막이 나기도 하려니 그렇게 지금 당장 마음 가는 대로만 마음을 다하면 되는 것 아닌가. 말이 안 통하는 거야 같은 언어를 쓰는 사람과도 마찬가지. 사랑이 삐그덕대는 것은 누구에게나 마찬가지. 사랑하는 연인들이 낼 수 있는 불의 밝기를 사랑이라는 집에 잘 사용하는 것, 그것만이 사랑이다.

그녀가 돌아왔다는 소식을 들었다. 얼마 만인지 몰랐다. 얼마 만에 돌아온 것이 문제가 아니라 돌아올 때 혼자였으니 그녀가 사랑을 연명하지 못하고, 완성하지 못하고 돌아온 쪽이었다.
하지만 세상 어디에 완성이 있을까. 그래도 혼자인 것을 잘 견디며, 쓸쓸한 저녁을 잘 이해하고, 밤 불빛을 외로움이 아닌 평화로움으로 받아들이며, 사랑하면서 사는 삶이 무엇인지 객관적으로 이해할 수 있게 되었다는 것만으로도 그녀는 한때를 완성한 것 아니겠는가.
헤어질 때는 무슨 말을 했을까. 떠나올 때 가방은 그가 들어다주었을까. 그때는 하필이면 저녁이었을까. 익숙해진 만큼만 서로는 울었을까.
세상 끝 어딘가에 사랑이 있어 전속력으로 갔다가 사랑을 거두고 다시 세상의 끝으로 돌아오느라 더 이상 힘이 남아 있지 않은 상태 : 우리는 그것을 이별이라고 말하지만, 그렇게 하나에 모든 힘을 다 소진했을 때 그것을 또한 사랑이라 부른다.

53 #

우리는 시작에 머물러 있을 뿐

부엌으로 들어서자 사람들이 뭔가를 하나씩 들고 뛰고 있었습니다. 뚱뚱한 여자도, 마른 남자도 천장을 향해 고개를 뒤로 젖힌 채 뭔가에 열중하고 있었어요. 모두가 흰 옷을 입고 있는 너냇 명의 사람들이 빗자루나 긴 막대기를 들고 허둥대고 있는 건 한 마리 나방을 잡기 위해서였습니다. 나방은, 남자 손바닥을 펴서 붙인 듯한 크기에 검은 바탕과 붉은 반점의 대비가 굉장했습니다.

나는 양손을 들어 그들에게 움직이지 말라는 동작을 취해 보였습니다. 양손을 들었으니 조금 근엄해 보였을라나요. 모두 일제히 동작을 멈추게 하고 창문을 하나씩 열었습니다. 부엌 공간의 세 개 면에 창문이 있었는데 일단 창문 하나를 연 다음 바람이 들어오게 했습니다. 그리고 다른 창문 하나를 열어 바람과 바람이 만나게 했습니다. 그리고 남은 한쪽 벽면의 창문도 서서히 열었습니다. 가만히 천장에 붙어 있던 나방이 몇 번 여기저기에 착지하더니 얼마 되지 않아 창문 바깥으로 날아갔습니다.
부엌에서 소동을 피웠던 사람들이 굉장하다는 시선으로 나를 쳐다봤습니다. 높은 천장을 가진 공간에서 나방 한 마리를 잡는 데 많은 시간을 소비한 모양이었습니다. 그렇게 하면 되는 걸 어떻게 알았어? 라고 내게 물어왔습니다.

나는 '나이가 많아서'라고 경쾌하게 대답했습니다. 적어도 나보다 나이 많은 사람이 그 공간에는 없어 보여서였습니다. 실은 '나이가 많으면 쓸데없는 것까지도 알게 된다'는 식의 말을 하고 싶었는데 그곳은 포르투갈 말을 쓰는 브라질의 올린다였으니 그쯤에서 그만두기로 했습니다.
사실 나이 든다는 게 괜찮을 때도 있더라구요. 묵직해져서 덜 흔들리고 덜 뒤돌아보고.

아주 오래전 어디선가 읽은 글 같은데 누구의 글인지 기억이 나질 않네요. 나이 들어 각자 혼자가 되어 만난 어느 연인의 이야기입니다. 어디선가 우연히 만난 두 사람은 조금씩 조금씩 좋아하는 마음을 갖게 됩니다. 그러던 어느 날 두 사람은 처음으로 남자의 집에서 하룻밤을 같이 보내게 됩니다. 낯선 곳에서 잠을 잔 여자는 아침에 도착한 신문 떨어지는 소리에 잠이 깬 뒤로 잠을 잘 수가 없었습니다. 살며시 일어나 거실에서 신문을 가져다 신문을 보기 시작하는데 신문 넘기는 소리에 남자가 깰까봐 여자가 화분 옆에 놓인 분무기를 가져다가 신문 위에 뿌립니다. 곤히 자고 있는 사람에게 신문 넘기는 소리는 굉장히 크게 들리겠죠.
얼마 후 자리에서 일어난 남자가 신문에 물을 뿌리며 마지막 페이지를 읽고 있는 여자의 모습을 사랑스럽게 보고는 그렇게 묻습니다.
"당신, 그런 걸 어디에서 배웠소?"
"나이 먹다보니 그냥 알게 되었어요."

알게 되는 것도, 알아가는 것도 나이가 하는 일, 맞습니다.
내가 부엌에 들어가 그랬던 것처럼 누군가 내 방에 들어와주기를 바랍니다. 내 방에 들어와 닫힌 창문을 열고 환기를 시켜주는 당신이기를 바랍니다. 그녀가 그랬던 것처럼 당신이 내 방에서 자고 난 아침에, 분무기를 사용했으면 합니다. 신문과 나를 차분하게 해주었으면 합니다.

로스앤젤레스 롱비치에 배를 얻어 두어 달가량을 산 적이 있습니다. 하는 일은 별로 없었고 약간의 독서와 좋은 문장을 베껴쓰기(사실은 글을 쓰려고 무진 애를 썼지만 그곳 낙천적인 기후는 번번이 뇌의 진행을 방해했답니다), 그리고 인라인스케이트를 타거나 수영장에 가는 일 정도였습니다.

그 무렵 어느 날, 실내 수영장에서 일어난 일입니다. 수영을 하려고 수영복을 갈아입고 샤워를 하고 있는데 수영을 마친 듯한 노인이 샤워를 하다가 그만 그 자리에 쓰러졌습니다. 다행히 머리를 부딪치지는 않았고 의식도 곧 차렸습니다. 수영장 직원들을 부를까 했는데 노인은 괜찮다고 했습니다. 내가 뭘 도와주고 싶다고 했더니 집까지 자신을 바래다줄 수 있냐고 했습니다. 이런 적이 처음이어서 자신도 많이 놀랐다고 말했습니다. 그를 부축해 나무 의자에 앉히고 그의 열쇠를 받아 옷장에서 옷을 꺼내 입혀주기 시작했습니다. 속옷부터 양말까지 다 챙겨야 하는 상황이었습니다. 뭐 그렇게 나쁘지 않았습니다만 그의 옷의 상태는 내게 인내심을 가지게 할 정도로 심각했습니다. 뭐 괜찮았습니다. 나도 누군가에게 나의 깨끗하지 않은 상태를, 허름한 러닝셔츠를 내보일 일이 있을지도 모르니까요. 집이 어디냐고 묻자 그가 어디라고 대답을 했고 그곳이 차를 가지고 얼마를 가야 하는 곳이라는 사실을 알고 그 무렵 운전을 막 배우기 시작한 저는 면허도 없는 상태에서 그를 데리고 그의 집으로 갑니다. 뭐 괜찮았습니다. 무면허 운전의 기분이란 것 역시도 말이죠.

그가 거의 집에 다 왔다고 말했습니다. 어느 집 앞에 차를 세우려고 했더니 곧 문이 열릴 거라고 했습니다. 자동으로 문이 열린 것까지는 괜찮았는데 문이 열리고 몇 미터를 가지 못하고 나는 급브레이크를 밟았습니다. 그가 무슨 일이냐고 나에게 물었지만 그곳, 그 안에는 굉장한 일이 벌어지고 있었습니다.

그렇게 넓은 개인 소유의 장미밭을 본 게 아마도 처음이었을 겁니다. 열어놓은 차창 사이로 쳐들어오는 그 장미 향 때문에 질식을 할 뻔했습니다.
몇 년 전에 죽은 아내가 일구어놓은 장미정원이라고 했습니다.
"……장미 묘목은 당신이 샀겠군요."
대뜸 던진 나의 이상한 질문에 그는 당장 대답을 하지 못했습니다.

아주 오래전 내가 왜 그 중요하지도 않은 질문을 했느냐고 하면 말입니다. 러시아에, 한 여배우가 살고 있었는데 시인과 사랑을 하게 됩니다. 여배우는 장미를 아주 좋아했지만 시인은 가난해서 장미를 살 돈이 없었습니다. 장미를 사는 대신 장미 묘목을 구해 주인 없는 넓은 땅에 백만 송이의 장미를 키웠다는 이야기가 난데없이 생각나서였습니다.
나는 그에게 잘 있으라는 말만 남기고 서둘러 그곳을 빠져나왔습니다. 왜 그랬는지는 모르지만 아마도 집의 넓이에 많이 놀랐던 것 같습니다. 장미로 가득 찬 정원 때문인지도, 그 정원의 규모가 너무 광적이다 싶을 정도로 어느 한쪽으로 치우쳐 있어서인지도 모르겠습니다. 연민까지는 아니었지만, 어쩌면 더 앉아 있다가는 뭔가 더 슬퍼질지도 몰라 나를 단속한 것인지도 모릅니다.
두고두고 그 충격이 위로가 됩니다. 그의 낡고 깨끗하지 않은 옷가지들과 그 장미정원의 선명한 대비가 어떤 식으로든 나를 오래 붙들고 있기 때문입니다.
몸이 안 좋아 목욕을 하다가 졸도한 노인과, 직접 내 손으로 입히면서 속사정까지 알게 된 그의 남루한 옷가지들과, 대저택의 장미정원. 이 셋의 서늘한 하모니 가운데 어느 하나도 커지거나 작아지면 안 됩니다. 옷이 깨끗해도 안 되고, 장미정원이 작아도 안 되고, 또 몸이 건강한 노인이어도 안 됩니다. 아마도 그 가운데 하나라도 내가 본 그대로가 아니었다면 나에게 이토록 강렬한 불꽃처럼 기억되지는 못할 것입니다.
완벽히 혼자인 노인에게 그토록 완벽한 장미정원이 있으니 다행입니다.

나이 먹는 일에 대해 생각한 것은 그즈음이었습니다. 나이만 있고, 나이 없는 사람이 되기는 싫다는 생각을 한 것도 그즈음이었습니다.
나이 든다는 것은 넓이를 얼마나 소유했느냐가 아니라 넓이를 어떻게 채우는 일이냐의 문제일 텐데 나이로 인해 약자가 되거나 나이로 인해 쓸쓸로 몰리기는 싫습니다. 그래서 나는 나이가 들어도 『그리스인 조르바』에 나오는 문장처럼 늘 이 정도로만 생각하면서 살고 싶습니다.

— 우리는 시작에 머물러 있을 뿐. 충분히 먹은 것도 마신 것도 사랑한 것도, 아직 충분히 살아본 것도 아닌 상태였다.

나의 퇴락은 어쩔 수 없겠으나 세상에 대한 갈증과, 사람에 대한 사랑과, 보는 것에 대한 허기와, 느끼는 것에 대한 가난으로 늘 내 자신을 볶아칠 것만 같습니다. 이 오만을 허락해주십시오.
아, 그러고보니 『그리스인 조르바』는 마침 내가 배에서 지내며 세 번인가를 읽었던 그 소설이기도 하네요. 그 시절, 세 번을 읽었던 이 한 권의 소설 말고 나는 과연 누구를 사랑하고 있었을까요.

1

1

54 #

무엇이 문제인가.
해는 지고 있고 하늘이 시리게 시리게 파란데.
저녁으로 맥주 한 잔과 키예프식 호박전을 앞에 두고 있는데.
당신이 내 마음속에 있는데.

황금으로 지은 집을 가진들 무슨 소용이랴.
상트페테르부르크의 가을이 가슴 미어지게 눈부신들 어찌하랴.
당신이 당신이 없는데.

여러 번 말했지만 나는 바보 같은 사람.
여러 번 당신에게 말했지만 나는 멀리 있는 사람.
그러나 당신에게 말하지 않은 한 가지.
당신에게 있어 나는 어쩔 수 없이 불가능한 사람.

55 #

당신이 행복할 것이니 난 미안하지 않습니다

향신료 때문에 음식을 먹지 못해 오랫동안 배가 고팠다는 것과 병든 개들의 서러운 눈빛들이 자꾸 눈에 밟혀 콜카타에서 며칠을 걸었다는 것, 그뿐이었습니다.

그냥 그날도 걷고 있었습니다. 그날 태양은 지칠 줄 몰랐고 내 몸은 지칠 대로 지쳐 있었습니다. 그때 날아온 것은 링거가 아니라, 물감이 든 투명 봉지.

가뜩이나 땀에 젖어버린 옷들이 푹 젖는 것은 순간이었습니다.

몰랐습니다. 그곳에서 축제가 벌어지고 있는지를. 모른 체할 수도 없었습니다. 모른 체할 수 없는 것은 당신들의 소란이 아니라 당신들이 '해피 홀리'를 외치는 풍경이었습니다.

소녀들이 냄비에 색색의 가루를 담아 뛰어다녔습니다. 소년들도 페트병에 물감을 담아 팔았습니다. 느릿느릿 걷는 노인의 지팡이에도, 흰 소의 어깨에도 모두 울긋불긋한 색색의 물감들이 흘러내리고 있었습니다. 나는 한 번 더 물감을 뒤집어쓰고 맙니다.

축제에 젖어들지 못하는 내가 바보라는 걸 알고 스스로를 타이르고 있으면서도 숨을 쉴 때마다 눈코를 타고 떨어지는 붉은 물감 때문에 죽도록 인상을 쓰고 있었습니다. 평생 나와 아무 상관없을 것 같던, 참치찌개에

둥둥 떠 있는 기름을 뒤집어쓴 기분이 그러할까요.
당신이 붉게 서 있었습니다. 나에게 붉은 물감을 끼얹은 당신이 내 표정을 살피는 것도 같았습니다. 거대한 반얀나무였던가요. 아니면 사원의 숲을 헤치고 걸어 나온 헛것이었던가요. 아니면 당신은, 이제 다시 내 등을 토닥여줄 내가 버렸던 친구였던가요.
당신이 양동이로 쏟아부은 물감들을 발등에 흘리며 꿈쩍도 않고 서서 굳어버렸습니다. 옷 속으로 흘러들어가는 액체의 끈끈함이 당최 싫었던 겁니다.
그런 내가 참 약하다 싶었습니다. 태어나서 지금까지 한 번도 강해본 적 없는 사람이었던 겁니다. 진짜 내 모습보다 다른 사람이 보게 될 내 모습이 더 무서웠던 겁니다.

당신이 자기 손을 잡으라고 하는 것 같았습니다. 당신이 말을 못 알아듣는 나를 잡아 끌었습니다. 당신의 집으로 들어갔을 때 당신의 집 마당에 가득한 등나무 꽃들과 오이 향기와 커다란 보리수 나뭇가지에 앉아 울어대는 새소리가 가득했습니다. 그 덕분에 겨우 곤추선 성질을 내려놓을 수 있었습니다.
"당신에게 곧 행복이 올 거예요. 그러니 난 미안해하지 않아도 돼요."
당신은 내게 물감을 쏟아붓고도 단호했습니다.
"우린 이 전쟁을 통해서 행복을 얻는다고 믿어요. 세상에서 가장 평화로운 전쟁이잖아요. 게다가 인간적인……."
순간 느긋해지면서 좋은 기분에 휩싸이는 내가 됩니다. 그 말에, 그동안 내가 미워했던 세상 모든 것들이 녹아 지워지고 있었습니다. 당신만은 내 편인 것 같았습니다.
전쟁이 싫어서 내가 살던 곳을 등지고 떠나온 거였습니다. 좋아했고 믿었던 사람들과의 전쟁, 그래도 끝끝내 내 자신만은 지키려 했던 나하고의 전쟁. 서로를 깨부수고 불태우기에 동원된 말들의 전쟁. 당신 말은 그 전쟁 속에서 언젠가 나를 다시 찾게 될 거라는, 구원의 말 같았습니다.
당신이 가리킨 뒤란에 판자로 지은 작은 욕실이 있었습니다. 나는 그곳에 들어가 오래 몸을 씻었습니다. 나는 그곳에서 오래된 빨강들을 치웠습니다. 판자 사이로 언뜻언뜻 조각 햇살이 들이치고 있었습니다.
내가 오래오래 사랑했던 사람, 당신. 내가 당신에게 물감을 끼얹고, 다시 당신이 나에게 물감을 끼얹으면 나도, 당신도 다시는 아프지 않을 것 같습니다.
나는 거리로 뛰어나갔습니다. 당신도 따라 나왔습니다. 서로 물감을 뒤집어쓰고, 웃으면서 웃으면서 어딘가로 한없이 원없이 빠져들기 시작했습니다. 내가 누군가를 죽도록 미워하면 세상은 끝나는 거라고, 비록 세상에 단 한 사람일지라도 죽도록 미워해버리면 세상은 그냥 그렇게 고장나버리는 거라고 믿기로 했던 겁니다, 그곳에서. 그리고 사랑하고 싶었던 겁니다. 누군가를.

누구를 강렬하게 좋아하는 마음이 빨강이라면 누군가를 미워하는 마음도 빨강입니다. 문득 치받쳐오르는 것도, 그게 그렇게 오래 달라붙어 있는 것도 빨강입니다.
적어도 사랑은 붉게 오리란 걸 알고 있습니다. 예감은 그런 것 아닌가요. 난데없는 것. 금빙이라도 붉게 물들어버릴 것 같은 것. 사로잡히는 것. 문득 어느 날 첫눈이 내려도 흰색의 눈발이 아니라 붉은 눈발이 흩뿌릴 것 같은 것. 그렇게 심장의 통증이 시작되는 것.

56 #

비행기 창문으로 큰 달을 보았다

낯선 바람이 부는 곳에서 낯선 방식으로 사는 사람들이 있는 곳. 말이 통하지 않아도 좋고 세상 모든 물질이 차단된 곳이어도 괜찮다. 세상의 모든 확률 혹은 기준들이 점점 희박한 곳, 오직 그곳이 천국일지도 모른다는 어떤 가능성만이 존재하는 곳.

새벽 두시에 도착한 튀니지. 화폐의 단위와 크기도 모르겠고 방향감각도 없는 상황에서 예약도 없이 숙소 이름 하나만 가지고 숙소에 도착했다. 방 열쇠 하나를 건네받고 방문을 열었지만 이 방이 조금 아늑했으면, 조금 밝았으면 좋으련만 천장은 높을 대로 높고 전구의 밝기도 영 시원치 않다. 그래도 하룻밤을 보내고 나면 조금 나아지겠지, 낯선 나라의 공기와 말들로 따뜻해지겠지, 생각한다. 그리고 아침을 맞았다. 바깥에 시장이라도 섰는지 수많은 사람들의 웅성대는 소리 때문에 더 이상 누워 있을 수가 없었다. 2층이었으니 장이 섰다면 좋은 위치에서 시장 구경을 할 수도 있겠다 싶어 창문을 열어젖혔다.
아, 사람들이 많을 거라는 예상과는 달리, 아프리카 햇살이 쏟아질 거라는 예상과는 달리 오렌지나무 한 그루가 조용히 서 있었다. 그것도 아주 커다란, 그것도 아주 많은 오렌지를 매달고는 아주 성스럽게, 고요히.
헤아려보니 단지 내 방 창문은 단지 건물의 안쪽 마당을 향해 나 있는 거였고 소음은 반대편쯤에서 들려오는 거였다. 오렌지나무가 나를 향해 웃고 있는 것 같았다. 문득 그 아침이 고맙다는 생각이 들었다. 아주 낯선 곳에서 그런 식의 위로를 몇 번 받은 적이 있는 것 같다. 갈증이 느껴져 오렌지 하나를 따려고 손을 뻗었다. 닿을 것 같던 손은 아무리 애를 써도 닿지 않았다. 대신 다른 한쪽에서 오렌지 하나가 떨어져 맨땅에 뒹굴었다.

점점 사막 쪽으로 이동하면서 밤 기온은 점점 내려가고 있었다. 조금만 더 내려가면 사람이 살 수 없는 본격적인 사막이 시작된다는 곳에서 하룻밤을 지내야 했지만 가방에 든 옷을 모두 껴입고 텐트(인지 벽돌을 쌓아놓기만 한 건지 알 수 없는 공간) 안에 뒹굴고 있는 천이란 천들을 모두 다 몸에 감고 잠을 청했지만 추워도 너무 추웠다. 게다가 친절하게 별을 보면서 잠들라고 방의 천장은 뚫려 있었다. 밤이 깊어지는 게 고역이었다. 남들에 비해 먼저 추위에 반응하고, 남들에 비해 늦게 더위에 반응하는 나 같은 특수한 사람에게는 사막에 들어가는 일보다 사막에서 맞게 될 기후부터 두렵기 시작했다. 상식에 기대자면 잠을 잘 경우에 체온이 더 떨어지기 때문에 잠을 자지 않는다면 문제는 간단하다. 잠만 들지 않으면 된다. 잠이 쏟아지는데도 잠을 자지 않는 일이 고통스러울 땐, 내가 여행에서 위기에 처했을 때 자주 사용하는 최면술인, '이제 조금씩 나아지고 있는 중'이라고 생각하면 된다. 카메라를 빗물이나 먼지바람으로부터 보호하기 위해 넣어다니는 샤워캡 두 개를 꺼내 발에 씌워주면 조금 나아질 것이다.
그렇게 뒤척이고 있을 때, 텐트 바깥에서 물소리가 들렸다. 처음엔 내가 잘못 들은 소리인 줄 알았으나 분명 그것은 물소리였다. 밖으로 나가봤더니 세상에나! 누군가 오아시스에서 수영을 하고 있었다. 내가 놀라는 기색을 하고는 물가에서 주춤거리자 그가 소리쳤다.

"들어와서 같이 수영하지. 달빛이 좋잖아."
유럽에서 온 여자였다. 다음 날, 나는 그녀에게 인사했다, 지난밤 춥지 않더냐고.
"그건 생각하기 따라 다르지. 난 아주 오래전부터 사막에 오고 싶었고 밤에 물이 가득 불어난 오아시스를 놓칠 수 없었거든. 다른 것도 아니고 오아시스잖아."
나는 그냥 지난밤이 추웠다는 의미로 던진 인사였는데 그녀는 수영 얘길 꺼낸다. 아, 그렇지. 지난밤은 추웠고 그 추운데도 불구하고 그녀는 수영을 했단 말이지. 나는 아침 식탁에서 홍차는 마시지 않았다. 그녀가 목욕한 물일 수도 있겠다는 생각에 입에 대지 않았다.

튀니지 사람들은 입을 모아 말한다. 튀니지의 제르바Jerba 섬은 정말 특별하다고. 내가 보기에 특별함은 제르바 섬이 다른 지역보다 물가가 비싸다는 데 있었다. 그도 그럴 것이 그곳은 튀니지 최고의 휴양지여서 해안선을 따라 고급 호텔들이 늘어서 있고 섬 자체도 마치 세트장처럼 잘 꾸며져 있으니 그들에겐 자랑거리일 듯싶었다.
나는 그곳에서 아주 특별한 새벽 산책을 했다. 사막에서 못 잔 잠을 벌충하느라 종일 자는 바람에 새벽 세시경에 눈을 뜨고 말았다. 방에 불이 들어오질 않았다. 숙소에서 얼마 떨어지지 않은 해변을 걷기로 하고 숙소를 나섰다. 하지만 걷고 싶은 해변은 모두 다 특급 호텔을 끼고 있어서 접근 자체가 쉽지 않아 보였다. 실망을 하고 그만 발길을 돌리려고 하는 순간, 한 경비원이 나를 불러 말했다.
"만약 해변을 걸으러 온 거라면 걸어도 좋아."
나는 그의 말을 듣고 신발을 벗은 채 파도 소리와 내 발이 튕기는 물소리를 들으며 해변을 걸었다. 아무도 방해하지 않았고 뒤를 돌아다보지도 않았으므로 내가 얼마만큼 걸었는지 알 수 없을 정도의 아주 긴 해변이었다. 재미있는 건 해안을 지키고 있던 호텔의 경비들이 무전기로 누군가가 걸어간다고 알려주고 있었다. 나를 감시하기보다는 나의 안전을 위해, 오히려 내가 방해받을 수 있는 요소들을 제거하기 위해 그러는 것 같았다. 저기 멀리서 아주 천천히 동이 트는 기운이 느껴지자 내가 걸어온 방향을 되짚어 걷기 시작했다. 어느 정도를 걸었을까. 작은 고깃배 한 척이 해안가로 밀려오는 게 보였다.

어디서 나타났는지 모를 몇몇 사람들이 밤새 잡은 고기들을 사려고 고깃배 가까이로 몰려들었다. 모두들 호텔에서 근무하는 사람들 같았다. 곧 해가 뜨면 밤샘 근무를 마칠 시간이고 물고기들을 들고 집으로 돌아가 아침식사를 준비할 거라고 했다. 나도 배가 고프다는 몸짓을 해 보였다.

한 경비원 차림의 사내가 밤새 피웠던 흔적이 있는 모닥불가로 나를 데리고 갔다. 생선을 구워 먹자고 했다. 가뜩이나 아늑해 보이는 모닥불 주변은 나뭇가지 몇 개를 올리자 마치 여느 부엌처럼 환해졌다. 꼬챙이에 꿴 생선이 다 익어갈 무렵, 저기 멀리서 떠오른 태양이 어느 바닷가의 아침 부엌을 환히 비추기 시작했다.

돌아오는 비행기 창문으로 큰 달을 보았다. 공항 하늘 한편에 걸려 있던 달은 비행기가 날아오르자 함께 이륙하기 시작했다. 가까이서 보는 환한 달은 참으로 사람 코끝을 시큰하게 한다. 누가 내 감정을 터뜨리기 위해 손을 뻗는 것 같은, 무언가 나를 일으키기 위해 에너지를 보낼 때의 기운 같은 것들.

나는 가끔 달이 우리 행복에 미치는 영향이 어느 정도인지 궁금할 때가 많다. 언젠가 혼자서 이런 결론을 내린 적이 있었다. 사람들은 햇볕을 통한 광합성보다는 달빛을 통해 하는 광합성의 양이 더 많을 거라는.

달은 계속 비행기를 따라왔다. 밖을 내다보고 또 내다봐도 마치 배웅이라도 하겠다는 듯, 내 짐을 안전하게 들어다주겠다는 듯 나를 따라왔다.

달과의 교묘한 비행이, 달이 비추는 환한 하늘길이 싫지 않았다. 하지만 내가 지금 죽을 맛인 걸 적나라하게 비추는 기분도 들어 슬쩍 마음이 상한다. 나는 돌아가야 하고 돌아가서도, 돌아왔다는 사실을 숨기거나 들킬 사이도 없이 일의 속도를 내야 할 것이고 그 일 속에서 나는 나를 얼마나 천박하게 포장해야 할까.

승무원에게 와인 한 잔을 가득 따라달라고 했다. 내가 웃으면 세상도 나를 따라서 웃을 것이고, 내가 울면 세상도 나를 따라서 울게 될 거라는 생각에 건배를 했다. 창밖으로 달이 환하게 웃고 있었다.

Själagårdsgatan
1-15
kv Andromeda

57 #

이별이었구나

이 주일 동안 육십여 개의 빵집과 카페를 촬영해야 하는 미션을 수행하기 위해 파리에 간 적이 있었다. 『빵빵빵 파리』라는 책을 만드는 시기였다. 마침 파리에 사는 후배 부부가 여행을 떠나는 시기와 겹쳐 빈집에서 지내기로 했다.

후배 부부는 파리 근교에 위치한 집에 살면서 맹인안내견 한 마리를 기르고 있었는데 그곳에서 지내는 동안 나는 아침과 저녁 두 번의 산책을 시켜야 하는 임무를 맡았다.

아침이 되면 촬영을 나가기 전에 이슬이 채 마르지 않은 숲길에 나가 산책을 시켰다. 종일 정신없이 사진을 찍고 돌아온 저녁에는 원고를 손보았다. 저녁 식사를 마친 후나 잠들기 전에 개를 데리고 나가 산책을 했다. 이 주일 동안은 거의 이런 일들의 반복이었다.

어느덧 일을 마치고 돌아올 때가 되었다. 개와 마지막으로 따뜻한 인사를 나눴다. 주인이 돌아오면 내가 해주었던 것보다 훨씬 더 잘 보살펴줄 것이었다.

내가 떠난 다음 날인가, 후배 부부는 돌아왔고 며칠 후, 전화 통화를 하면서 개의 안부를 들을 수 있었다.

"그동안 개가 말 잘 들었지요?"

"그럼, 너무 착해서 아무 문제 없었어."
"근데 선배 가고 돌아와 보니 마루에다 먹은 걸 토해놨더라구요. 챙겨준 사료는 건드리지도 않았구요."
"아니, 왜? 나 있을 땐 아무렇지 않았는데. 어디 아픈 거야?"
"아뇨. 선배 여기 올 때 큰 여행가방 가지고 왔을 거 아니에요? 떠날 때는 큰 여행가방 들고 나가셨을 거구요. 개가 여행가방에 민감해요. 정들었는데 떠나는 걸 알고 마음이 많이 안 좋았나봐요."

아, 이별이었구나.
나는 돌아와 정신없이 일에 매달리느라 한 번도 뒷일을 생각을 해본 적 없었는데 이별이 아팠구나. 미안하다. 나, 이토록 텁텁하게 살아서. 정말 미안하다. 음식을 만들면서도 음식에다 감정을 담는 것인데 하물며 나라는 사람, 이렇게 모른 척 뻣뻣하게 살아가고 있어서.

58

여행을 다녀온 지 얼마 안 된 후배에게 문자가 왔다.

— 이번 여행은 여운이 너무 길어서 힘드네요.
이럴 때 형은 어떻게 해요?

나는 이 말은 하지 않았다.
단 한 번 여행을 떠난 것뿐인데 이토록 지금까지 끝나지 않는 여행도 있는 거라고.

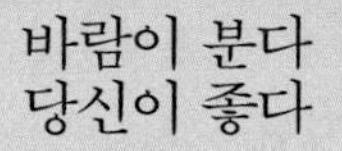

1판1쇄 발행 2012년 7월 1일
1판3쇄 발행 2012년 7월 25일

지은이 이병률

편집 김지향
디자인 최윤미
사진 편집 오철만
마케팅 방미연 정유선 | **인터넷마케팅** 이상혁 장선아
제작 안정숙 서동관 임현식

펴낸곳 달
출판등록 2009년 5월 26일 제406-2009-000034호

주소 413-756 경기도 파주시 문발동 파주출판도시 513-8
전자우편 dal@munhak.com
전화번호 031-955-2666(편집) 031-955-8889(마케팅) | **팩스** 031-955-8855

ISBN 978-89-93928-48-8 03810

● 이 도서의 국립중앙도서관 출판시도서목록(CIP)은 e-CIP홈페이지(http://www.nl.go.kr/ecip)와
국가자료공동목록시스템(http://www.nl.go.kr/kolisnet)에서 이용하실 수 있습니다.
(CIP제어번호: CIP2012002732)

1846